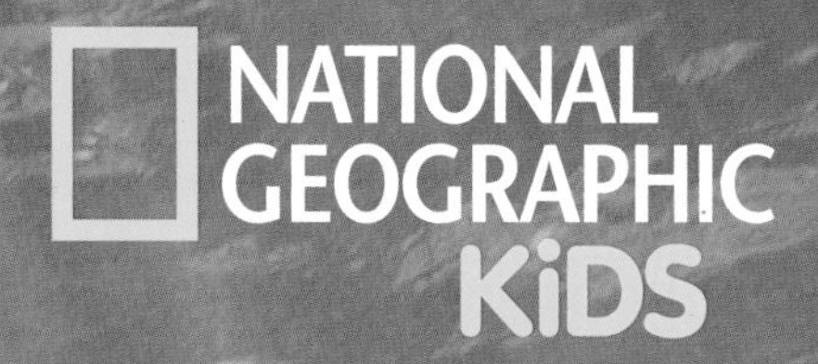

RÉCORDS ANIMALES

KATHY FURGANG Y SARAH WASSNER FLYNN

LAS CRIATURAS MÁS GRANDES, MÁS VELOCES, MÁS DIMINUTAS, MÁS LENTAS Y MÁS APESTOSAS DEL PLANETA

LOS BICHOS MÁS GRANDES, LOS MÁS PEQUEÑOS, LOS MÁS RÁPIDOS, LOS MÁS LENTOS, LOS MÁS RUIDOSOS, LOS MÁS RAROS Y LOS MÁS MORTÍFEROS DEL PLANETA

¡PASA LA PÁGINA Y SUMÉRGETE EN ESTE MAR DE RÉCORDS!

En *Récords animales*, de National Geographic Kids, conocerás a las criaturas más geniales y curiosas que jamás han corrido, nadado, saltado, aleteado, planeado, correteado o reptado por el planeta Tierra. Disfruta de tu asiento en primera fila para ver a los animales batirse, zarpas contra garras, en duelos entre especies, date un paseo entre los dinosaurios y siente los ecos del pasado más remoto, explora el mundo salvaje de los misterios animales en la sección «Casos curiosos» y comprueba tu coeficiente de «inteligencia animal» en las secciones de «Pasatiempos». Y lo mejor es que, a través de estas páginas, conocerás el trabajo de magníficos investigadores y científicos empeñados en dar a conocer a los más jóvenes todas estas maravillas.

En cada capítulo se corona a un rey de cada categoría y se entregan premios a los subcampeones, y verás qué métodos locos se utilizan para determinar quiénes son los ganadores. Conocerás al reptil más grande, al pájaro más pequeño, al pez más lento, al asesino más hermoso, al maestro del camuflaje y al insecto más increíble. ¿Cómo es posible que los animales más ruidosos y letales de la Tierra midan menos de 25 mm de largo? Sigue leyendo para descubrirlo. ¡Te espera una sorpresa a la vuelta de cada página!

CAPÍTULO 1

SALUDA A LOS ANIMALES MÁS GRANDES, IMPONENTES Y PANTAGRUÉLICOS DEL MUNDO.

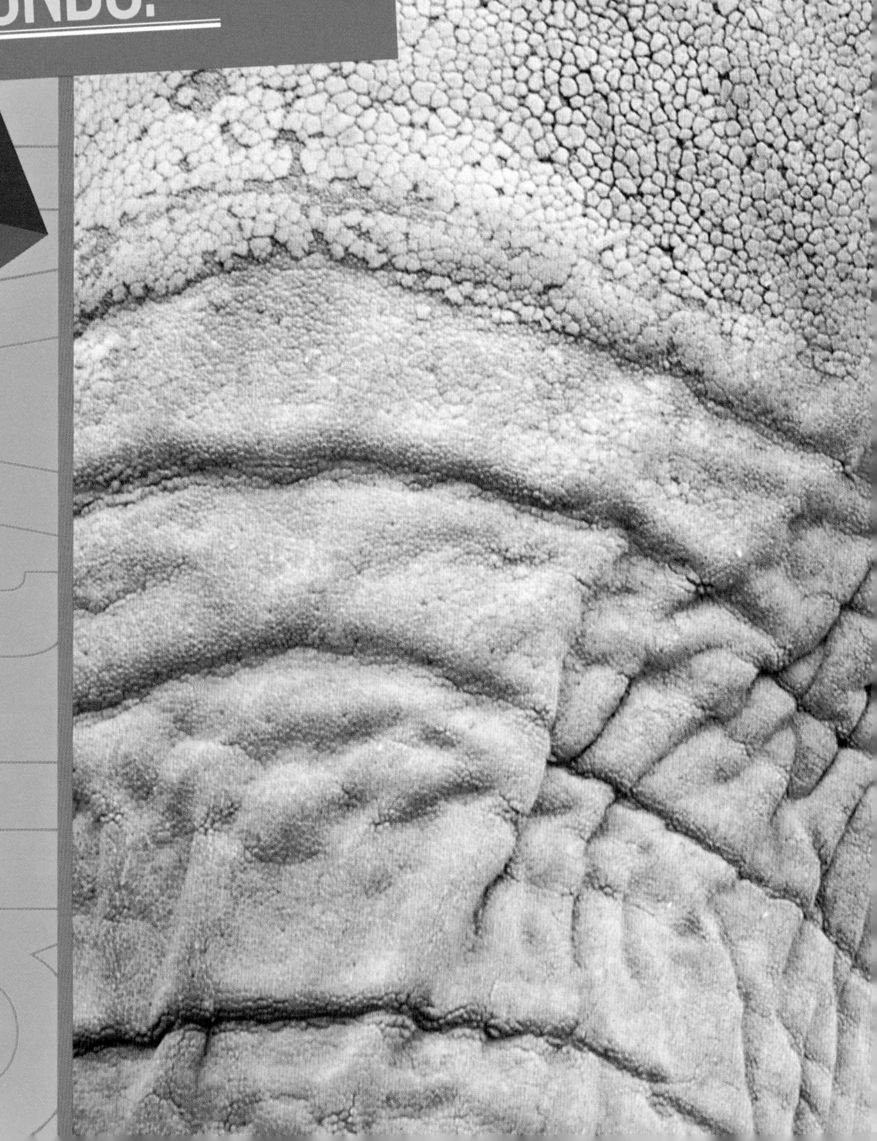

Estos animales resultan definitivamente difíciles de olvidar, pero no todos ellos hacen alarde de un gran cuerpo. Algunos son los más altos y otros los más largos o los más pesados de su grupo. Pero algunos otros ganan por motivos aún más sorprendentes.

Y EL GANADOR ES...

LA BALLENA AZUL

La ballena, o rorcual, azul es el animal más grande del planeta. La lengua de este gigante morador del océano llega a pesar tanto como un elefante. ¡Y su corazón pesa lo mismo que un coche! Este animal, de hasta 180 toneladas de peso, necesita ingerir una gran cantidad de alimento: ¡la ballena azul puede engullir más de 3,5 toneladas de kril al día!

CLASE: **MAMÍFEROS**

NOMBRE CIENTÍFICO: ***BALAENOPTERA MUSCULUS***

LONGITUD: **HASTA 30 METROS**

PESO: **HASTA 180 TONELADAS**

ALIMENTACIÓN: **KRIL**

HÁBITAT: **OCÉANOS**

DISTRIBUCIÓN: **MUNDIAL**

ESPERANZA DE VIDA: **UNOS 90 AÑOS**

ESTADO: **AMENAZADA**

UNA CRÍA DE BALLENA AZUL PUEDE PESAR **2,5 TONELADAS** Y MEDIR HASTA **7,5 METROS** DE LARGO AL NACER.

Y LOS SUBCAMPEONES...

Las criaturas que han conseguido estos récords son enormes en su escala. Comprueba por qué encabezan las listas.

EL ANIMAL TERRESTRE MÁS GRANDE

ELEFANTE AFRICANO

Aunque es verdad que todos los elefantes son grandes, el elefante africano es el mayor de todos ellos. Le gana a su primo hermano el elefante asiático por apenas unos cientos de kilos. El elefante africano puede pesar más de 6 toneladas, más o menos lo mismo que dos vehículos de safari. Con una altura hasta los hombros (cruz) de 4 m, soporta sobre sus cuatro patas el peso de un gigante.

EL INVERTEBRADO (TERRESTRE)
MÁS GRANDE

CANGREJO DE LOS COCOTEROS

El cangrejo de los cocoteros tiene una envergadura de más de 1 m, medida con las patas abiertas, y pesa en torno a 3 kilos. Su nombre ya lo define. Este duro crustáceo es conocido por agujerear los cocoteros.

EL INVERTEBRADO (ACUÁTICO)
MÁS GRANDE

CALAMAR COLOSAL

Este gigante de los mares profundos, pocas veces visto, puede llegar a pesar más de 450 kilos y tener una longitud de casi 10 metros. No es tan grande como su pariente el calamar gigante (que puede alcanzar los 12 metros de largo), aunque sigue teniendo premio por su corpulencia.

LA POBLACIÓN ANIMAL (TERRESTRE)
MÁS GRANDE

HORMIGAS

La población de hormigas es de ¡diez *trillones*! Compara esta cifra con los más de siete mil millones de personas que habitan la Tierra y verás que nos superan por mucho.¡Existen en todo el mundo más de 10.000 especies conocidas de hormigas.

MÁS SUBCAMPEONES...

¡Explora ahora algunas menciones de honor en la categoría de criaturas colosales!

EL FELINO MÁS GRANDE

TIGRE SIBERIANO

¡Ven gatito, ven! ¡O mejor no! Este felino salvaje puede pesar 300 kg y medir más de 3 metros. Es un carnívoro conocido por su fuerza y resistencia, ¡razón pe*rrr*fecta para mantener la distancia!

EL REPTIL MÁS GRANDE

COCODRILO MARINO

Este feroz cocodrilo es un excelente nadador de aguas oceánicas de Australia, sudeste asiático y costa oriental de la India. Es el mayor reptil viviente: puede llegar a medir 7 metros de largo y a pesar una tonelada. Este reptil es tan agresivo y tan grande que ¡puede abatir a un búfalo de agua adulto!

EL INSECTO MÁS GRANDE

WETA GIGANTE

¿Pensar en un insecto lo suficientemente grande como para comerse una zanahoria entera te produce escalofríos? Entonces tal vez sea mejor que apartes la vista de este weta gigante, el insecto más grande del mundo. Este fornido bichillo de 70 gramos se asemeja a un grillo y pesa casi lo mismo que tres ratones.

LA ARAÑA MÁS GRANDE

TARÁNTULA GOLIAT

¡Si te dan miedo las arañas, no mires ahora, porque está aquí la especie más grande! La tarántula Goliat alcanza hasta 30 centímetros de longitud, tiene unos «colmillos» de 2,5 centímetros y es tan grande que puede devorar un pájaro. Y, por si esto fuera poco, emite una especie de escalofriante chirrido, cuando frota las patas entre sí.

EL MISTERIO DEL PEZ MONSTRUO

Cuando el enorme cadáver de un animal marino espinoso apareció a orillas del mar en Folly Beach, en Carolina del Sur (Estados Unidos), la gente no daba crédito a lo que estaba viendo. ¡Esa enorme masa marrón y verde parecía un monstruo marino prehistórico! Resulta que la criatura era en realidad un esturión del Atlántico, que puede alcanzar 4,6 metros de longitud y pesar más de 360 kilos. Este pez en peligro de extinción es uno de los más antiguos del mundo, y tiene la piel dura y cubierta de placas óseas dispuestas en filas. No es de extrañar que a veces se le llame el «dinosaurio del mar».

ESPECIE: **TIBURÓN BALLENA**

TAMAÑO: **HASTA 12 METROS DE LARGO Y 18.500 KILOS DE PESO**

DATO RÁPIDO:
Con una velocidad de casi 5 kilómetros por hora, estos amables gigantes son excelentes compañeros de nado de los amantes del buceo ¡y son los peces más grandes del mundo!

PEZ GIGANTE

¡Tres monstruos más de los mares!

ESPECIE: **PEZ REMO GIGANTE**

TAMAÑO: **HASTA 17 METROS Y 270 KILOS**

DATO RÁPIDO: También llamado rey de los arenques, el pez remo habita en mares profundos y se deja ver poco en superficie. Algunos creen que, si aparece uno en la orilla, es una señal de que va a producirse un terremoto.

ESPECIE: **PEZ LUNA**

TAMAÑO: **HASTA 3,4 METROS Y 2.300 KILOS DE PESO**

DATO RÁPIDO: El pez luna es el pez óseo que más pesa de todo el mundo. Su foma redondeada le ha dado su nombre en español... y también su nombre latino: *Mola mola*, como la piedra de moler en el molino. ¡Cómo mola el pez luna!

EN PRIMER PLANO

AVES DE MUCHA PLUMA

Algunas de las aves más altas, más fascinantes y de mayor peso que existen planean sobre estas páginas del libro de récords.

EL AVE VOLADORA MÁS ALTA

GRULLA SARUS

Claro, seguro que conoces a un montón de personas que miden 1,80 metros... Pero ¿un ave? La grulla sarus presume de ello con razón, pues es el ave voladora más alta del mundo.

EL PICO MÁS LARGO

PELÍCANO AUSTRALIANO

¿Herramienta incorporada? ¿A qué ave no le gustaría tener un arpón unido a su cara? El pelícano australiano tiene un pico de 46 centímetros de longitud —el más largo entre todas las aves existentes—, que hace que sujetar la comida sea tarea fácil.

LA MAYOR **ENVERGADURA**

ALBATROS VIAJERO

El albatros viajero o errante tiene una envergadura (distancia desde la punta de un ala hasta la otra, abiertas) de 3,5 metros, la mayor que podrás ver entre todas las aves existentes. Es tan grande que probablemente podría envolveros, a ti y a cinco amigos tuyos, ¡en un gran abrazo de ave!

EL AVE VOLADORA MÁS PESADA

AVUTARDA COMÚN

Esta ave con récord se encuentra peligrosamente cerca de la extinción por exceso de caza. Pero ahora, el ave voladora más pesada que existe —se ha registrado un ejemplar que pesaba en torno a 20 kilos— está recuperándose poco a poco, así que fíjate bien ¡a ver si ves en el campo a este peso pesado con alas!

EL MAYOR **CAMPO DE VISIÓN**

BECADA

No hay quien se esconda de esta ave: ¡lo ve casi todo! La becada tiene un campo de visión de 360 grados; es decir, que puede ver en todas las direcciones. La posición de sus ojos, algo retrasada, es la clave de la visión superior de esta ave.

EL NIDO MÁS GRANDE

ÁGUILA CALVA

En lo referente a nidos, los del águila calva son como megamansiones en los cielos. Su récord es un nido de casi 3 metros de ancho, 6 metros de alto y alrededor de 2 toneladas de peso.

PARTES DEL CUERPO EN PRIMEROS PUESTOS

¡Oh, qué ojos tan grandes tienes... y qué orejas y qué cerebro y qué cuello...! Echa un vistazo a los asombrosos rasgos corporales por los que estas criaturas figuran en el capítulo I.

EL CUELLO MÁS LARGO

JIRAFA

El mamífero vivo más alto tiene también el cuello más largo del mundo. ¡El cuello de 2,5 metros de una jirafa es más largo que la altura de una persona! Esto hace que la jirafa macho, con una altura total de 5,5 metros, destaque por encima del resto de las criaturas del reino animal.

LA LENGUA DE REPTIL MÁS LARGA, PARA SU CUERPO

CAMALEÓN

La lengua del camaleón no es la más larga del mundo, aunque sí tiene el récord de ser la más larga en proporción con el cuerpo. En otras palabras, la lengua de este reptil tiene una longitud igual a una vez y media la longitud de su cuerpo. ¡Es como si tú tuvieras una lengua de 2,5 metros! Ahora abre bien la boca y di: *¡aahhh!*

EL CEREBRO MÁS GRANDE

CACHALOTE

El cerebro del cachalote tiene un peso medio aproximado de 7,5 kilos. El espacio que ocupa es de alrededor de 8.000 centímetros cúbicos, frente a los 1.300 centímetros cúbicos del cerebro humano. *Mmmm...* ¿crees que un cachalote podría ayudarte con tus deberes escolares?

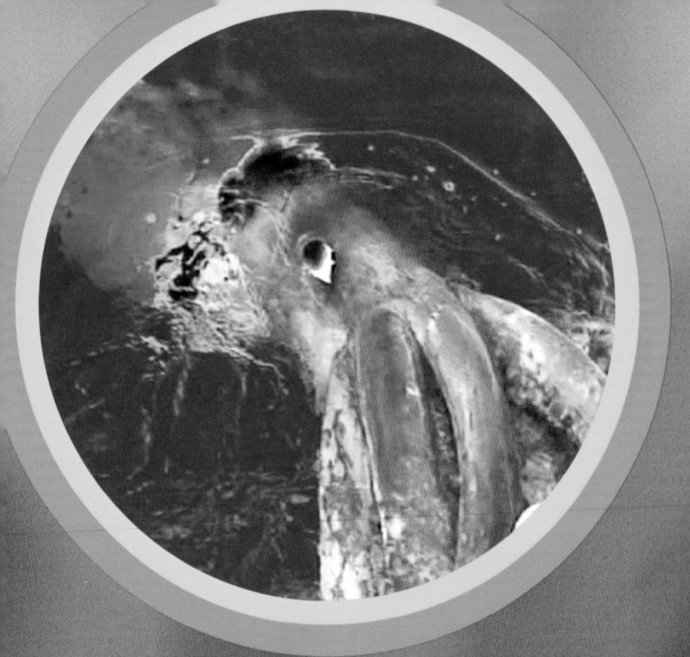

EL OJO MÁS GRANDE

CALAMAR COLOSAL

Con ojos más grandes que platos de mesa, el calamar colosal tiene la vista puesta en batir récords (¡mira también la pág. 13!). Cada uno de sus ojos alcanza un diámetro de 28 centímetros y, en su interior, el cristalino que recibe la luz es tan grande como una naranja.

LOS CUERNOS MÁS LARGOS

BÚFALO ACUÁTICO SALVAJE

La distancia entre las puntas de los dos cuernos de un búfalo acuático (o de agua) salvaje es de cerca de 1 metro. Impresionante; pero no todo es diversión. En realidad, unos cuernos tan grandes hacen que darse la vuelta sea todo un reto para este miembro de la familia del buey.

LAS OREJAS MÁS GRANDES, PARA SU CUERPO

JERBO DE OREJAS LARGAS

¡Echa un vistazo a esta criatura de grandes orejas! La orejas del jerbo son un tercio más largas que su cabeza. Su longitud puede ser igual a la mitad de la longitud de su cuerpo. Ello le hace merecedor del título de «orejas más grandes» en proporción con su tamaño, ¡por delante incluso del conejo de la suerte!

LA INCREÍBLE SALAMANDRA GIGANTE DEL JAPÓN

Son resbaladizas, son apestosas y, adivina qué: ¡son supergrandes! La salamandra gigante japonesa, con su metro y medio de largo y sus cerca de 25 kilos de peso, es casi diez veces más larga y cerca de 2.000 veces más pesada que una salamandra de talla media. Estos anfibios, originarios de los ríos y arroyos de aguas frías del norte y del oeste de Japón, están recubiertos por una gruesa capa de baba, que los protege de los parásitos. Pero esta no es la única razón por la que quizá prefieras evitar encontrarte con este gigante en una esquina. Cuando se sienten amenazadas, las salamandras gigantes del Japón segregan una sustancia pegajosa con olor a pimienta. Bueno... es una manera de ahuyentar al enemigo.

LAS SALAMANDRAS GIGANTES TIENEN DIENTES EN EL CIELO DE LA BOCA.

LAS SALAMANDRAS GIGANTES PUEDEN PASAR SEMANAS SIN COMER.

LUCHA DE CEREBROS

En lo referente a inteligencia, solo uno de los dos animales que componen cada una de las siguientes parejas es el primero en su clase.

Con un cerebro grande, los delfines se encuentran entre las especies más inteligentes del planeta. Son más listos que los otros animales que nadan en el mar, incluida la inteligente morsa, que puede recibir entrenamiento para realizar determinadas acciones, como cantar cuando se le pide.

Los científicos estudian la hipótesis de que, cuanto más grande es el tamaño del cerebro en relación con la masa corporal total, más inteligente es el animal. Los elefantes tienen un cerebro que es alrededor de 1/560 parte de su peso corporal, mientras que los hipopótamos tienen un cerebro que es 1/2.789 parte de su peso corporal.

Los superinteligentes pulpos son conocidos por usar instrumentos para atrapar presas difíciles. La medusa, en cambio, no tiene cerebro, sino solo un sistema nervioso simple para funciones vitales básicas.

Aunque ambos simios cuentan con un gran cerebro, la sesera del chimpancé es más grande en proporción a su tamaño corporal. Capaces de resolver problemas sencillos, son considerados los «sabelotodo» del reino animal.

Los roedores con cola larga de suave pelo son los ganadores, ¡con diferencia! Las ardillas son listas por naturaleza: poseen una habilidad innata para recordar dónde guardan sus frutos y semillas. Los conejos confían más en el instinto que en el intelecto.

EN CIFRAS

PESANDO A LOS GRANDES...

29 ELEFANTES AFRICANOS =

51 RINOCERONTES BLANCOS =

182 CABALLOS =

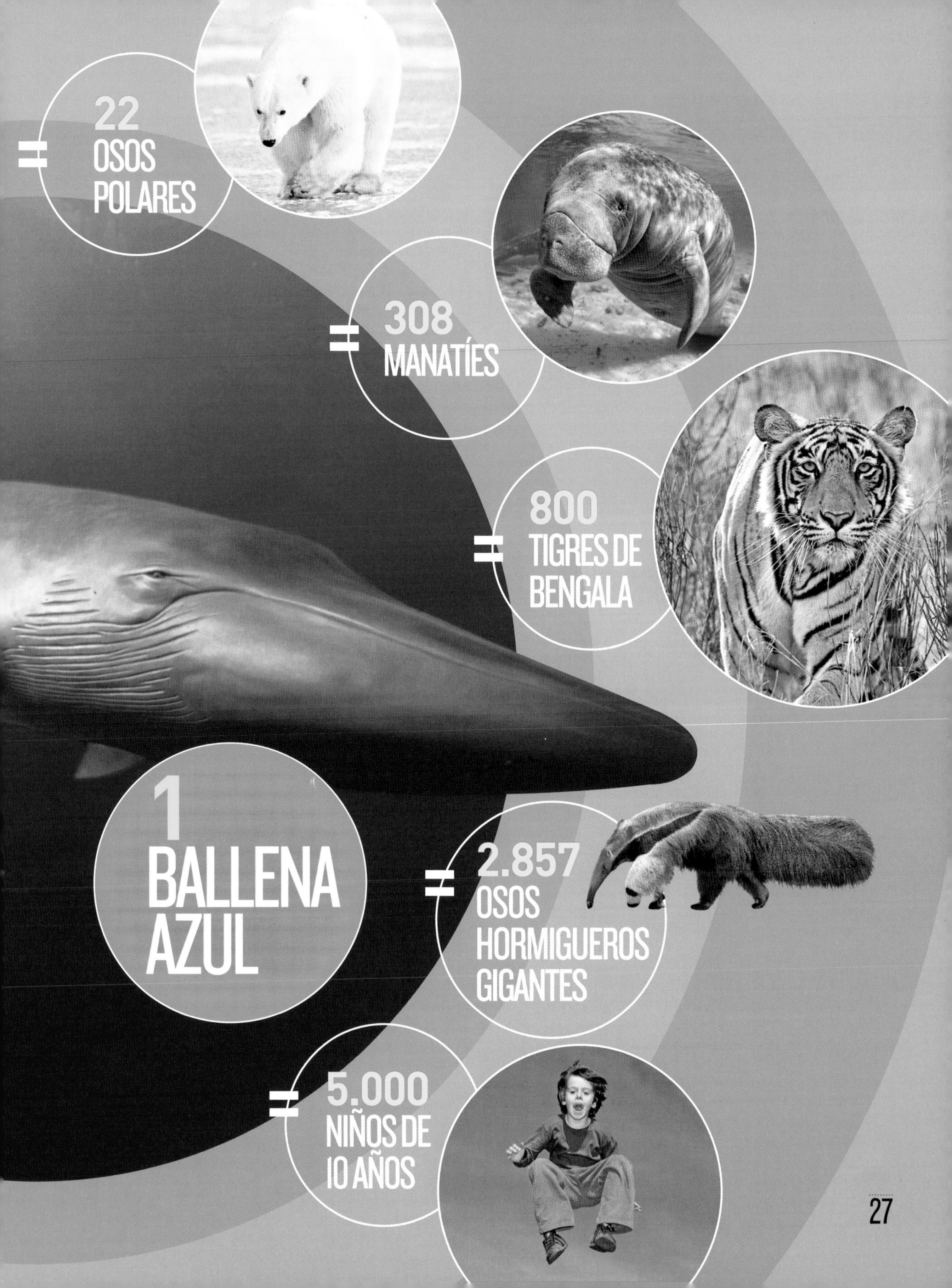
= 22 OSOS POLARES
= 308 MANATÍES
= 800 TIGRES DE BENGALA
1 BALLENA AZUL
= 2.857 OSOS HORMIGUEROS GIGANTES
= 5.000 NIÑOS DE 10 AÑOS

LOS DINOSAURIOS MÁS COLOSALES

ARGENTINOSAURUS

CUÁNDO VIVIÓ: **CRETÁCICO SUPERIOR (HACE 94 MILLONES DE AÑOS)**

DISTRIBUCIÓN: **ARGENTINA**

ALTURA: **HASTA 8 METROS**

PESO: **HASTA 70 TONELADAS**

LONGITUD: **HASTA 35 METROS**

Uno de los dinosaurios más grandes que vivió en la Tierra fue *Argentinosaurus*. Con una altura de hasta 8 metros y un peso aproximado de 70 toneladas, este enorme «lagarto» tenía la longitud de un avión Jumbo y una altura superior a un edificio de dos plantas. Pero, para ser una criatura que llegaba a pesar 800 veces lo que pesa un adulto humano moderno, este dinosaurio comenzaba a vivir siendo realmente pequeñito.
Al nacer, *Argentinosaurus* pesaba apenas 5 kg, menos del doble que un bebé humano. Para alcanzar sus épicas proporciones, comía tantas plantas al día como el equivalente, en calorías, a que tú comieras 50 bizcochos de chocolate. Pero ese estirón tenía un inconveniente: cada caca prehistórica tenía un volumen de unos 15 litros. ¡Puaj!

OTROS GRANDES

AGUJA COLIPINTA

ALMEJA DE ISLANDIA

1 EL INSECTO QUE MÁS SALTA

Este bicho de medio centímetro de largo salta hasta 70 centímetros. Si tú saltaras una altura equivalente, en proporción con tu tamaño corporal, sería como si tú pudieras elevarte fácilmente por encima de un rascacielos de 210 metros de altura.

2 LA MAYOR MIGRACIÓN SIN PARADAS

En 2007, uno de estos intrépidos voladores migró de Alaska a Nueva Zelanda sin paradas para comer ni beber. El viaje, de 11.500 km, duró nueve días.

3 EL ANIMAL QUE MÁS COME

Esta pequeña criatura realmente disfruta poniéndose las botas. Engulle en comida hasta el 90 por ciento de su peso corporal al día. ¿Te gustaría estar en su lugar? Piénsatelo dos veces. El festín de esta musaraña consiste en bichos de todo tipo, incluidos deliciosos gusanos, caracoles y babosas.

4 EL QUE MÁS AÑOS CUMPLE

La almeja de Islandia se lleva la palma al mayor número de cumpleaños. Se sabe que estas criaturas marinas pueden viven más de 400 años. ¡Eso sí que son un montón de velas!

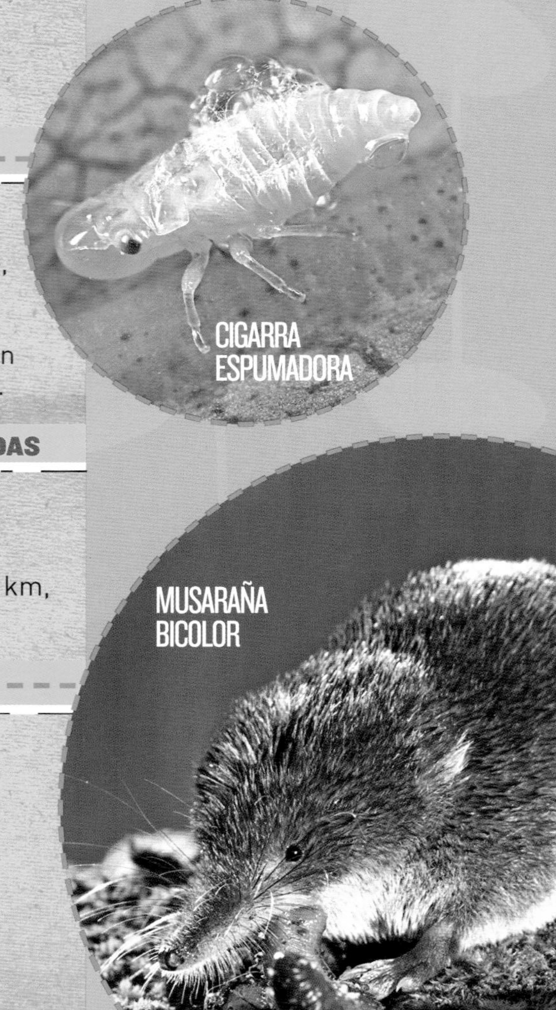

CIGARRA ESPUMADORA

MUSARAÑA BICOLOR

HUEVO DE AVESTRUZ

5 EL QUE MÁS PESO LEVANTA

¡Apartaos, humanos enclenques! En proporción, el escarabajo rinoceronte es la criatura más fuerte del mundo. Puede que sea diminuto, pero es capaz de levantar 850 veces su propio peso corporal.

6 EL HUEVO MÁS GRANDE

El ave actual más grande ¡también pone los huevos más grandes! Los avestruces ponen huevos que pueden medir más de 15 centímetros de largo y pesar más de 1,4 kilos de peso. Pero en realidad estas son medidas pequeñas, teniendo en cuenta el tamaño de la madre: una hembra puede pesar más de 110 kg y alcanzar una altura de 1,8 metros.

KRILL

7 EL HÁBITAT MÁS EXTENSO

¡Estés donde estés en la Tierra, habrá kril no muy lejos! Esta diminuta criatura oceánica abunda en todos los mares, que cubren en torno al 70 por ciento de nuestro planeta. Es posible encontrarlo nadando en cualquier sitio, incluso en aguas a kilómetros de profundidad.

GUSANO CORDÓN DE BOTA

8 GUSANO MÁS LARGO

Un gusano cordón de bota de tamaño medio mide 15 metros de largo. Pero esto no es nada comparado con el más largo de estos seres culebreantes. ¡El gusano cordón de bota más largo descubierto hasta ahora medía nada menos que 55 metros de largo!

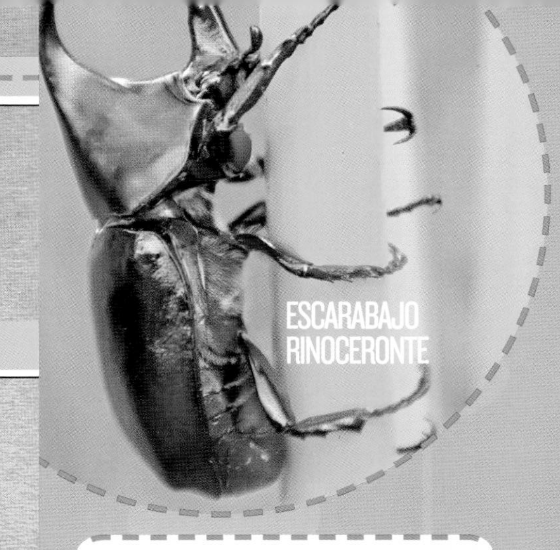

ESCARABAJO RINOCERONTE

LA FUERZA MUSCULAR DEL ESCARABAJO

Imagina que pudieras levantar 850 veces tu peso corporal, tal y como hace un escarabajo rinoceronte. Para que una persona adulta realizara este tipo de proeza, tendría que levantar más de 72 toneladas o una pila de 40 coches. ¡No intentes hacerlo en casa!

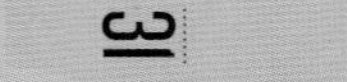

EN NUESTRO MUNDO

PULPOS: GRAN CEREBRO Y GRAN INTELIGENCIA

Como ya se ha dicho en la página 25, los pulpos son superinteligentes, pero ¿sabías que los científicos estudian su cerebro para aprender más cosas sobre el tuyo? En proporción con su tamaño, los pulpos tienen el cerebro más grande y complejo de todos los invertebrados. Su cerebro es muy distinto del nuestro, pero aun así los pulpos muestran algunas de nuestras habilidades: reconocen su nombre, resuelven rompecabezas y abren botellas a prueba de niños.

Mediante el estudio de su sistema nervioso, los investigadores creen que pueden llegar a saber de qué modo almacena y recuerda la información el cerebro humano. También esperan averiguar cómo estos sabiondos de ocho brazos muestran acciones similares a las humanas, aun teniendo un sistema nervioso tan diferente del nuestro. Y quizá puedan descubrir hacia dónde se dirige la evolución de la inteligencia humana.

LOS PULPOS TIENEN TRES CORAZONES.

UN PULPO TIENE EN TORNO A 300 MILLONES DE NEURONAS (CÉLULAS NERVIOSAS).

¿DE QUIÉN SON

Todos estos animales son conocidos por su dentadura. ¿Puedes unir cada especie con sus dientes?

SOLUCIONES
1: C; 2: D;
3: E; 4: B; 5: A

C
4
3
E
5
D

CAPÍTULO 2

¡MIRA POR DÓNDE PISAS! UN ASOMBROSO MUNDO DE PEQUEÑAS MARAVILLAS TE RODEA.

Las diminutas criaturas de este capítulo son una prueba de que lo pequeño puede ser magnífico. Deja a un lado los prismáticos y agarra la lupa (¡o el microscopio!) para explorar esta parte del reino animal que te cabe en la palma de la mano.

Y EL GANADOR ES...

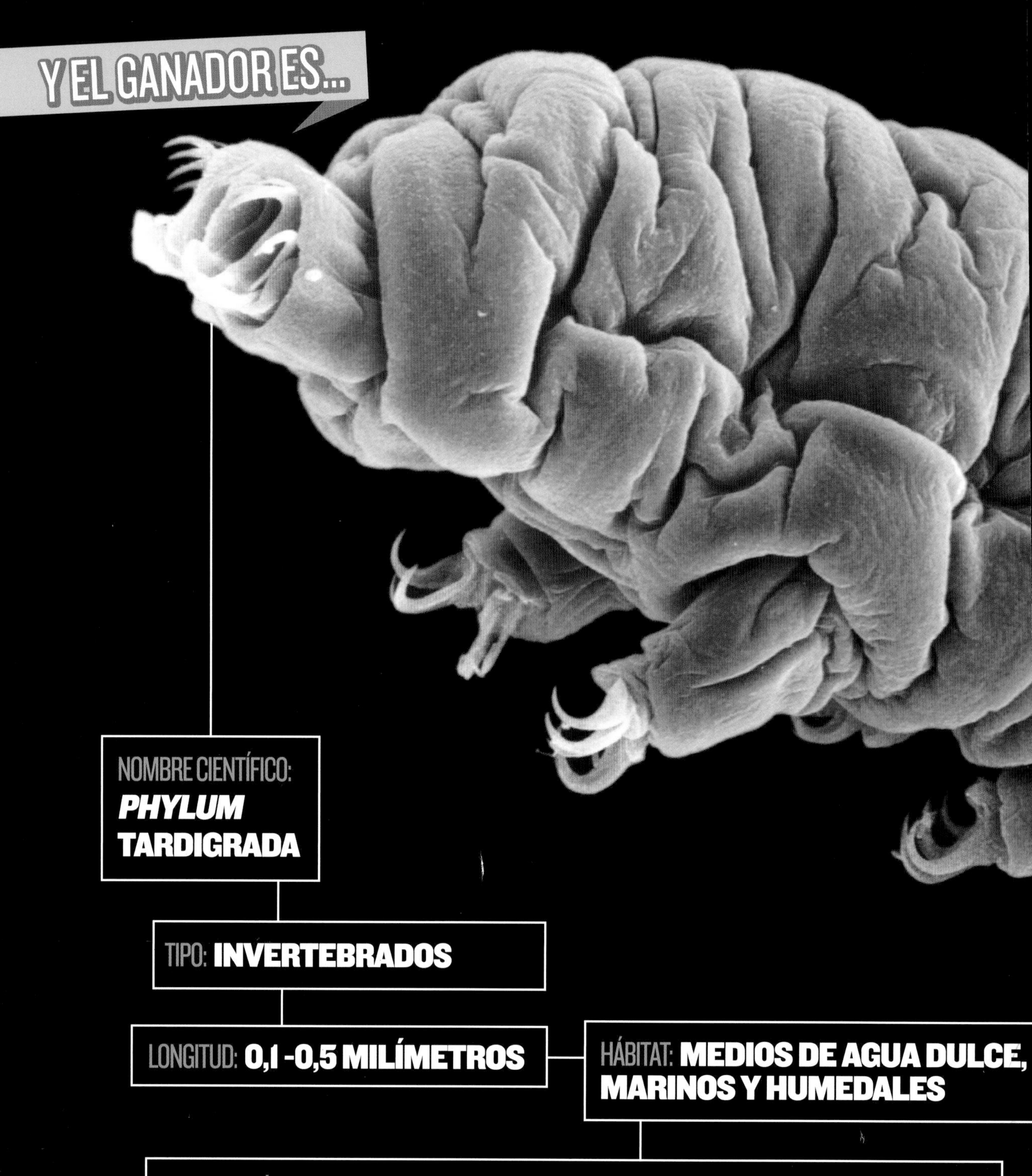

NOMBRE CIENTÍFICO: ***PHYLUM* TARDIGRADA**

TIPO: **INVERTEBRADOS**

LONGITUD: **0,1 -0,5 MILÍMETROS**

HÁBITAT: **MEDIOS DE AGUA DULCE, MARINOS Y HUMEDALES**

ALIMENTACIÓN: **ALGAS, HONGOS, BACTERIAS Y MATERIA VEGETAL**

TARDIGRADO [OSO DE AGUA]

DISTRIBUCIÓN: **TODO EL MUNDO**

ESPERANZA DE VIDA: **DE 3 A 30 MESES**

El animal visible más pequeño del mundo abulta menos que una semilla de amapola, aunque es un tipo duro. El tardígrado es una maravilla de la naturaleza. Tiene ocho patas y suele vivir en el agua o en lugares húmedos, desde grandes profundidades hasta altitudes de varios centenares de metros. Esta increíble criatura acuática sobrevive además en las condiciones más extremas que puedas imaginar. El agua hirviendo, el frío helador, las radiaciones e incluso una presión atmosférica muy alta no son un problema para este diminuto bravucón. Su minúsculo cuerpo reacciona deshidratándose y cayendo en una especie de estado de hibernación. ¡Algunas especies pueden permanecer así durante una década o más! Cuando las condiciones ambientales vuelven a la normalidad, ellos también.

Y LOS SUBCAMPEONES...

Estos animales son los más chiquititos de su categoría. Pero a pesar de su reducido tamaño, hacen alarde de rasgos realmente increíbles.

EL PÁJARO MÁS PEQUEÑO

ZUNZUNCITO

También llamado pájaro mosca o colibrí abeja, este pajarillo mide apenas 6 centímetros de largo y pesa menos de 2 gramos. La mitad de su longitud se la llevan el pico y la cola. Pero lo más asombroso es que puede permanecer inmóvil en el aire durante mucho tiempo y es capaz de beber hasta ocho veces su peso corporal al día.

EL ANFIBIO MÁS PEQUEÑO

RANA ENANA *(PAEDOPHRYNE AMAUENSIS)*

Esta rana de 7,7 milímetros cabe en una moneda y salta una distancia 30 veces mayor que su talla corporal. Los científicos han descubierto recientemente esta y otras minúsculas especies de ranas que viven sobre la tierra en la selva tropical de Papúa Nueva Guinea, entre las hojas en descomposición. Llegaron hasta estos increíbles anfibios siguiendo los agudos sonidos que emiten.

EL PERRO MÁS PEQUEÑO

CHIHUAHUA

¡Los chihuahuas se proclaman vencedores en más de una categoría! Los ganadores del premio al perro más pequeño son dos de los canes más menudos que andan por ahí. Heaven Sent Brandy tiene el título de menor longitud, con apenas 15,2 centímetros desde la punta de la nariz hasta la punta de la cola. Y Miracle Milly es la más pequeña en términos de altura, levantando apenas 9,65 cm del suelo.

EL CANGURO MÁS PEQUEÑO

CANGURO RATA ALMIZCLADO

¿Un canguro de solo 500 gramos? Estos animales, que comen insectos, viven en la selva australiana y duermen en nidos que fabrican con material que reúnen con la cola.

MÁS SUBCAMPEONES...

He aquí otros cuatro animalillos que rompen varios pequeños grandes récords.

EL PULPO MÁS PEQUEÑO

OCTOPUS WOLFI

Existen en torno a 300 especies de pulpos en el mundo, pero este pulpito les gana a todos. Mide solo 1,5 centímetros, pesa menos de 1 gramo y te cabe en la punta de la nariz.

EL PEZ MÁS PEQUEÑO

PAEDOCYPRIS PROGENETICA

En los pantanos de los bosques de Sumatra, sería fácil que este diminuto pez de la familia de las carpas te pasara desapercibido. Después de todo, mide apenas 8 mm de largo, siendo uno de los vertebrados más pequeños. Y para que resulte aún más difícil verlo, ¡su cuerpo es transparente!

EL MAMÍFERO MÁS PEQUEÑO

MURCIÉLAGO MOSCARDÓN

Esta criatura que vive en cuevas no solo es el murciélago más pequeño, sino también el mamífero de menor tamaño que existe. También llamado murciélago nariz de cerdo, pesa menos de 2 gramos y alcanza una longitud máxima de 3,3 centímetros: más o menos, ¡el tamaño de un moscardón!

EL CAMALEÓN MÁS PEQUEÑO

BROOKESIA MICRA

El diminuto camaleón *Brookesia micra* es uno de los reptiles más pequeños del mundo. Con una longitud total de solo 28,8 mm, este camaleón con escamas originario de Madagascar te cabe en la punta de un dedo.

CASOS CURIOSOS

¡EL MINI-PIG MÁS PEQUEÑO DEL MUNDO!

En muchos aspectos, este Huckleberry Finn es como un cerdo cualquiera: le gusta mordisquear la hierba, jugar en el barro y chillar cuando está contento. Vive con su dueño en un piso en San Francisco, California, Estados Unidos, y además es el cerdo doméstico más pequeño del mundo. «H-Finn», un cerdo de raza Juliana (también conocido como «cerdo tacita de té», por su reducida talla), tenía al nacer el tamaño aproximado de un iPad Mini. Ahora pesa lo mismo que un bebé recién nacido y cabe en una caja de zapatos. A este lindo cerdito le gusta dar largos paseos con correa por la ciudad y duerme en una casita con mantas. Se sienta cuando se le pide y usa un cajoncito para hacer sus necesidades. ¡Esto sí que es ser un cochino inteligente!

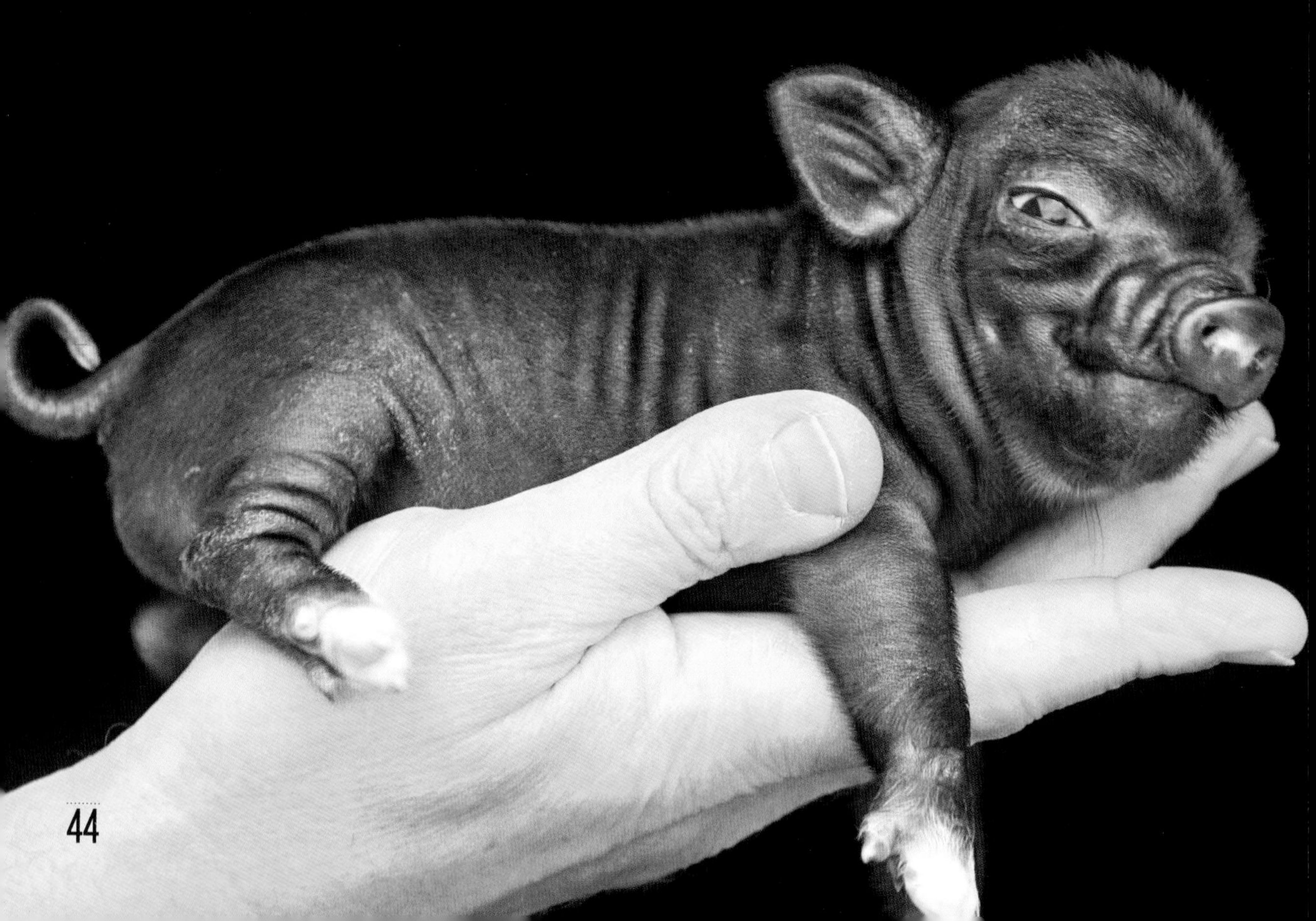

LA PERRITA LUCY

Con un peso inferior al de una gallinita, este Yorkie es una perrita de terapia: visita a pacientes y niños en hospitales. Tiene el récord de perro trabajador más pequeño del mundo.

PIP EL ERIZO

Este animalillo espinoso es tan pequeño que cabe cómodamente en una taza. Pero no tiene que estar llena de café, para que se mantenga despierto: los erizos pigmeos son criaturas nocturnas y ¡son capaces de pasarse toda la noche corriendo en una rueda de hámster!

EL CABALLO EINSTEIN

Este caballo doméstico mide poco más de 50 centímetros de alto y pesa 38,5 kilos. Corretea por la casa, come en un bol y se acurruca en el sofá con sus amos.

EN PRIMER PLANO

MARAVILLAS MICROSCÓPICAS

Sin duda, muchas cosas hay que verlas para creerlas; pero cuando se trata de criaturas microscópicas, ¡tienes que confiar en los expertos! Echa un vistazo a estas fotos para hacerte una idea de su diminuto mundo.

ROTÍFEROS

Los rotíferos tienen distintas partes del cuerpo y centenares de células. ¿Y por qué debe esto sorprendernos? Porque la mayor parte de las 2.000 especies del *phylum* Rotifera miden menos de 1 mm de largo (aunque algunas pueden alcanzar los 3 milímetros). Viven fundamentalmente en medios de agua dulce, como lagos, estanques, arroyos e incluso charcos.

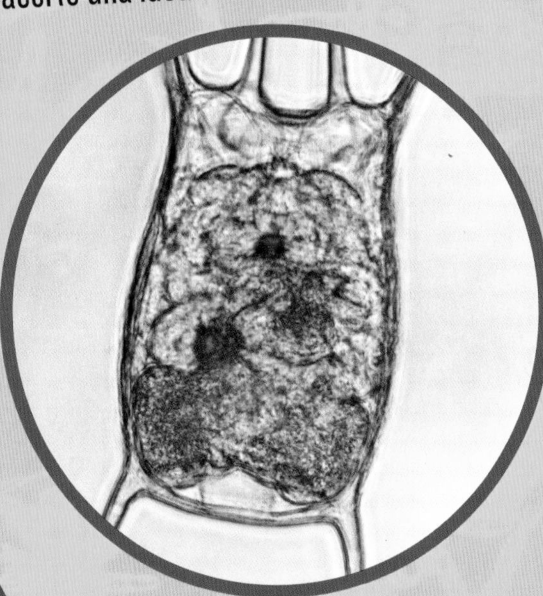

ÁCAROS DEL POLVO

Es algo bueno que no puedas ver a estos asquerosos bichillos sin un microscopio. Con apenas 0,2 a 0,3 milímetros de largo, están por todas partes. Entre 100.000 y 2 millones de estos animales pueden vivir ¡en un colchón! Y por si esto no fuera lo suficientemente repulsivo... ¡se alimentan de tu piel muerta!

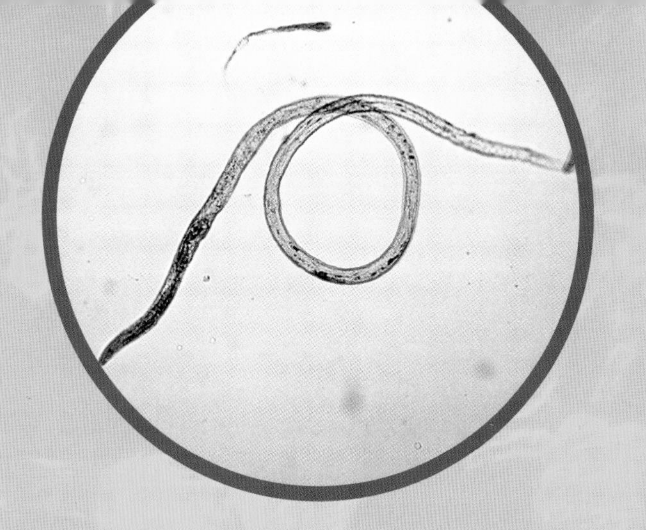

NEMATODOS

Estos organismos parecidos a gusanos (conocidos también como gusanos redondos) son parte importante del suelo y del barro, en parte porque estos son ricos en nutrientes. Los miembros del *phylum* Nematoda están presentes prácticamente en cualquier hábitat de la Tierra. La especies más pequeñas de nematodos son microscópicas, pero algunas pueden crecer hasta alcanzar un tamaño visible para el ojo humano.

COPÉPODOS

La longitud media de un adulto de este crustáceo acuático, del que existen diversas especies, es de 1 a 2 mm. Están presentes en toda la Tierra, en diferentes hábitats acuáticos, como cuevas, montañas y fosas oceánicas. Su nombre viene del griego *kope,* «remo», y *podos,* «pie», porque sus patas nadadoras son similares a remos.

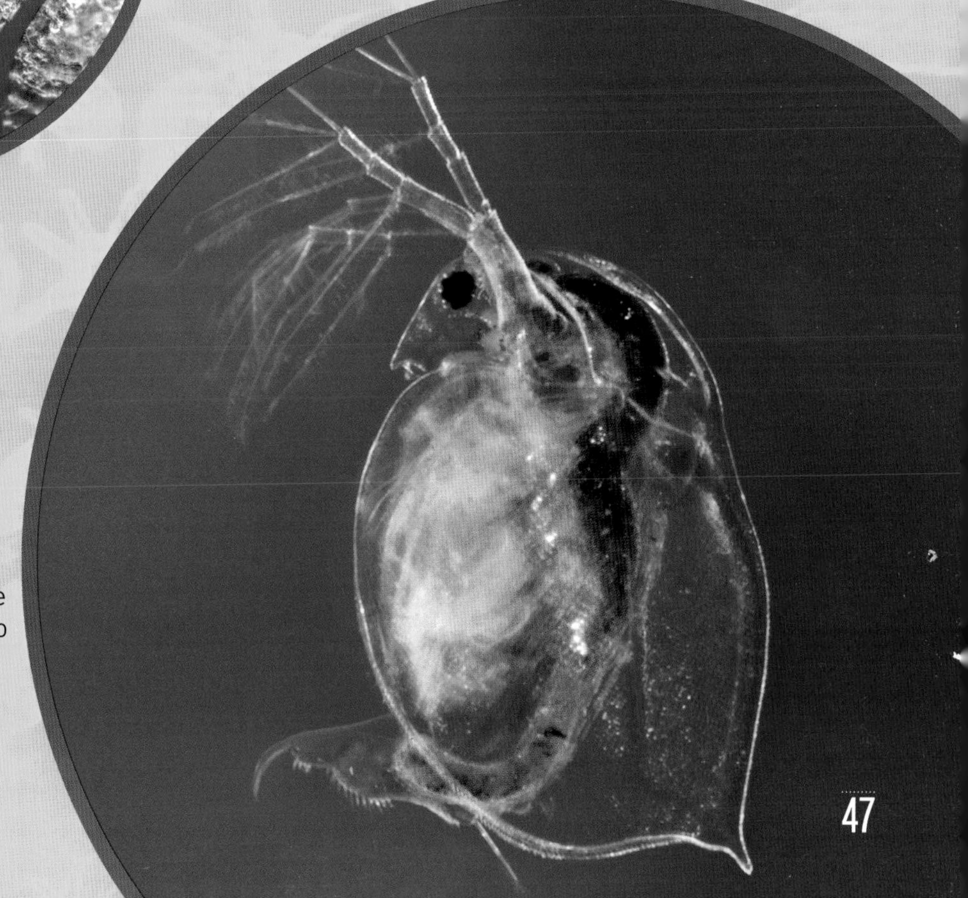

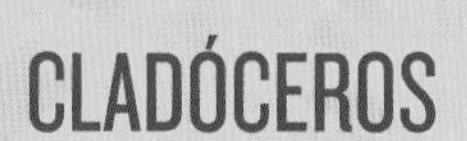

CLADÓCEROS

Conocidos como pulgas de agua, los cladóceros son diminutos crustáceos que viven en su mayor parte en hábitats de agua dulce, como lagos, estanques, ríos y arroyos. La mayoría no mide más de 6 mm de largo. Aunque pertenece al mismo grupo animal que la langosta, este enano amante del agua pasa prácticamente inadvertido.

DESTINO ÚNICO

HOGAR, DULCE HOGAR

Las islas Galápagos se encuentran en el océano Pacífico y están integradas por cerca de 8.000 kilómetros cuadrados de tierra. Algunas especies animales de estas islas no pueden encontrarse en ningún otro sitio de la Tierra. Esto significa que tienen una distribución geográfica entre las más reducidas del planeta. ¡Mira cuáles son algunas de estas singulares criaturas que no viven en ningún otro lugar del mundo!

IGUANA MARINA DE LAS GALÁPAGOS

Este reptil de original aspecto es el único lagarto marino del mundo. Se alimenta de algas que arranca de la superficie de las rocas y del fondo de aguas poco profundas cerca de la orilla. Los ejemplares más grandes pueden incluso bucear en las frías aguas oceánicas durante cortos períodos en busca de alguna deliciosa alga. Las manchas blancas de su cabeza son costras de sal del agua del mar que expulsa al estornudar, para limpiar de sal las glándulas que tiene junto a la nariz. ¡Achís!

TORTUGA GIGANTE DE LAS GALÁPAGOS

Las islas Galápagos son el hogar de la tortuga viva más grande y que más años vive del mundo: la tortuga gigante de las Galápagos. Puede alcanzar los 250 kilos de peso y, en estado salvaje, vive alrededor de 100 años. Las islas en las que vive deben precisamente su nombre a la impresión que estas asombrosas criaturas causaron a los primeros exploradores españoles que llegaron a sus costas.

CARACOL TERRESTRE DE LAS GALÁPAGOS

Con una longitud de apenas 25 milímetros, se cuentan entre los animales más pequeños en peligro de extinción endémicos de las Galápagos. Existen en estas islas en torno a 60 especies de caracoles de la familia de los bulimúlidos y muchas de ellas se encuentran en peligro de extinción debido a la proliferación de especies invasivas y a la actividad del ser humano.

PINGÜINO DE LAS GALÁPAGOS

Este pingüino es la única especie de su familia que vive en el ecuador o al norte de este y es también la que cuenta con la población menos numerosa de todos los pingüinos de la Tierra. Vive en tierra firme, le gusta tumbarse sobre su panza en las playas rocosas, pero se zambulle en el agua, nada y captura peces, de los que se alimenta.

CORMORÁN NO VOLADOR

¡Un ave que nada en lugar de volar! El cormorán no volador perdió la capacidad de vuelo. ¿Por qué? No le amenazaba ningún predador y disponía de gran cantidad de alimento. Por eso, con el tiempo, sus alas se volvieron más pequeñas y débiles, mientras que las patas que le impulsan cuando nada fueron haciéndose más fuertes. Esta singular ave está presente solo en dos islas de las Galápagos.

EXTRAÑAS CRIATURAS

PEQUEÑOS PERO MATONES

Presente en los humedales y pantanos costeros de Nueva Gales del Sur, Australia, el recientemente descubierto cangrejo de río *Gramastacus lacus* alcanza una longitud de apenas 22 milímetros y un peso de solo 7 gramos. Puede que se trate de una criatura diminuta, pero ¡no nos equivoquemos! Tiene, para defenderse, largas y gruesas pinzas (quelas), que abre y mueve rápidamente de un lado a otro para rechazar los ataques de los predadores, entre ellos otros cangrejos.

Por desgracia, esta pequeña maravilla del mundo se encuentra en peligro de extinción, al hallarse su hábitat afectado por la explotación de las áreas costeras.

EL YABBY DE LAGO (UNA ESPECIE DE CANGREJO DE RÍO) PUEDE CAVAR HASTA UNA PROFUNDIDAD DE UN METRO, LO CUAL LE PERMITE SOBREVIVIR DURANTE LAS LARGAS TEMPORADAS DE SEQUÍA.

EL CANGREJO DE RÍO NADA HACIA ATRÁS CUANDO ESTÁ EN PELIGRO.

TERRORES MENUDOS

¡Más grande no siempre significa más fuerte! Adivina quién ganaría si estos animales se encontrasen cara a cara en la naturaleza.

MUSARAÑA COLICORTA DEL NORTE vs. CULEBRA RAYADA

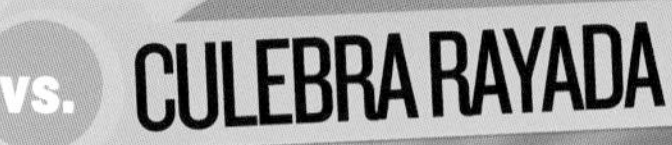

GANADOR

Tal vez pienses que el pequeño roedor con aspecto de topo no tendría nada que hacer frente a la escurridiza serpiente. Piénsalo otra vez. Con un mordisco de su poderosa mandíbula, la musaraña inmoviliza a su presa, la paraliza con su saliva, ¡y se la come viva!

RATA NEGRA vs. PULGA DE RATA ORIENTAL

GANADOR

¡Cuidado, ratas! Una picadura de estas pulgas que se alimentan de la sangre de mamíferos y son portadoras de bacterias puede provocar una infección mortal y transmitir larvas del parásito conocido como solitaria y otras enfermedades.

Este lagarto puede parecer presa fácil para el lince rojo, pero al segundo de intentar este atraparlo, el reptil dispara sangre directa a los ojos del manífero. Esta táctica no solo distrae al felino, sino que, además, la sangre sabe mal y hace que la peluda fiera se retire.

Carnívoro con dientes y garras superafilados, el carcayú suele comer carroña (animales muertos) o pequeñas presas como ratones y conejos. Pero también puede atacar a animales mucho más grandes, como el caribú, para lo cual se esconce entre la maleza o detrás de una roca y se lanza de repente sobre su incauta presa.

Con un arma doble —su mortal mordedura y sus afiladísimas mandíbulas— esta araña no tiene nada que hacer, sin embargo, ante una hormiga saltadora y chupadora de sangre. La dolorosa picadura de las hormigas paraliza parcialmente a su presa, de modo que pueden alimentarse de insectos mucho más grandes que ellas.

EN CIFRAS

¡PEQUEÑOS AL NACER!

¡Oh, un bebé! ¡Mira qué pequeños son estos animales nada más nacer!

KOALA

=

10 CÉNTIMOS

OSO POLAR

=

PERRITO CALIENTE

CANGURO

=

GOMINOLA

ZARIGÜEYA

=

ABEJA

=

GUISANTE

PULPO DE ANILLOS AZULES

PEREZOSO DE DOS DEDOS

=

BOTELLA DE AGUA

OSO PANDA

=

BARRA DE MANTEQUILLA

ECOS DEL PASADO

MISTERIO CON ALAS

En el año 2000, un fósil de este predador de pequeño tamaño fue hallado en China. Pero el «nuevo» dinosaurio era extraordinario por algo más que su tamaño. Tenía plumas similares a las de las aves en sus cuatro extremidades. Este dinosaurio de cuatro alas inquietaba a los científicos. ¿Para qué usaría esas cuatro alas?, se preguntaban. ¿Le servirían las dos alas de más para un vuelo más eficiente? ¿O las utilizaría para otro fin? Muchos científicos piensan que esta pequeña bestia es el eslabón perdido para comprender el origen y la evolución de las aves actuales. ¿Y a quién no le gusta un bonito misterio?

MICRORAPTOR

CUÁNDO VIVIÓ: **CRETÁCICO INFERIOR (HACE 125 MILLONES DE AÑOS)**

DISTRIBUCIÓN: **CHINA**

LONGITUD: **0,8 METROS**

ALTURA: **0,3 METROS**

PESO: **1-2 KILOS**

¿Un empate entre los dinosaurios más pequeños?

¡No tan rápido, *Microraptor*! ¡*Parvicursor* te reta para el título al dinosaurio más pequeño! Su nombre significa «pequeño corredor», pero la criaturita parece preparada para bailar, más que para correr. Es necesario que los científicos encuentren nuevos fósiles de este corredor de piernas robustas y pico de ave para ver si se trata de una cría y si existen fósiles de *Parvicursor* más grandes, de tamaño adulto, escondidos en la roca, en algún lugar.

OTROS PEQUEÑOS

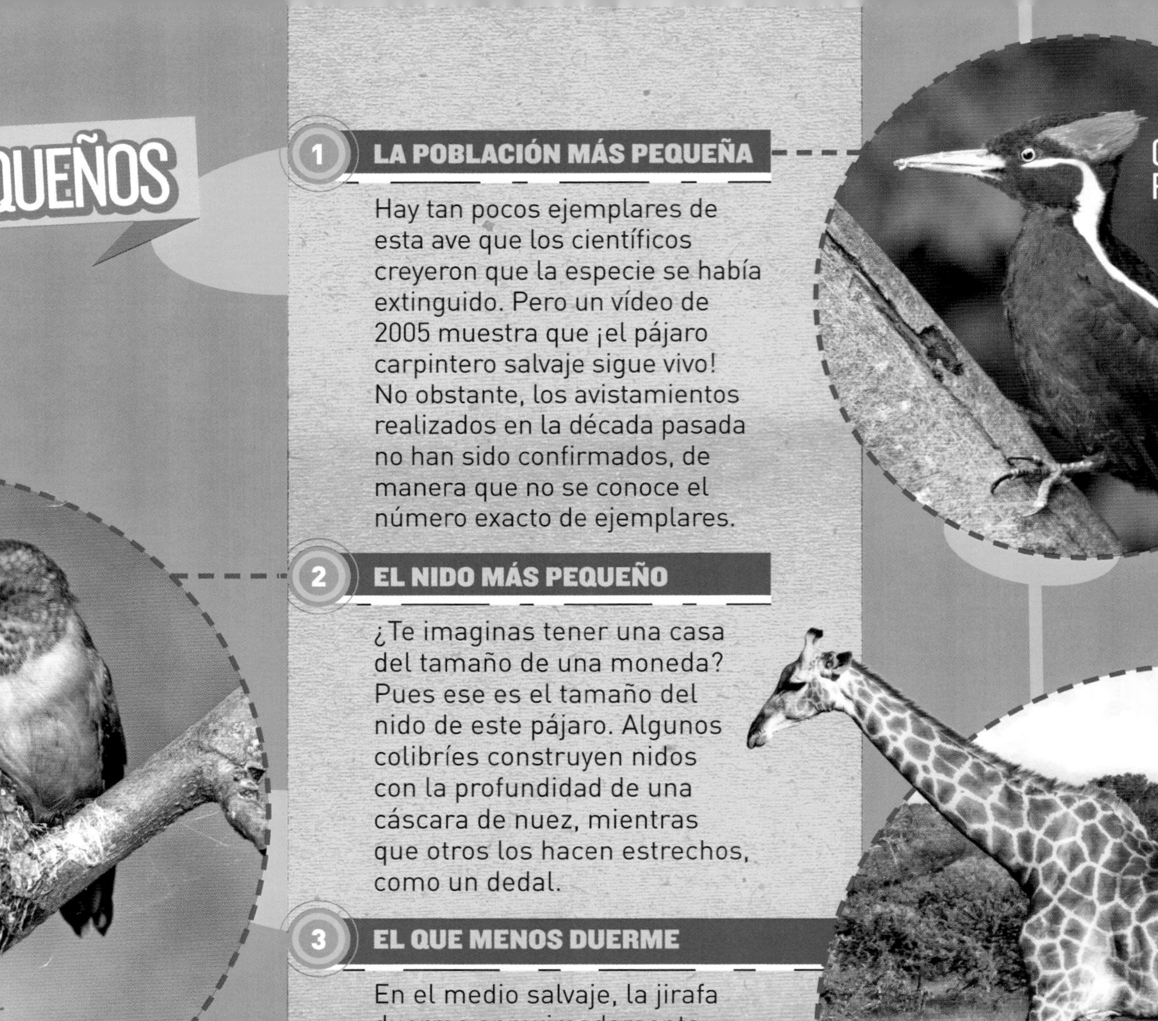

NIDO DE COLIBRÍ

CARPINTERO REAL

JIRAFA

1 LA POBLACIÓN MÁS PEQUEÑA

Hay tan pocos ejemplares de esta ave que los científicos creyeron que la especie se había extinguido. Pero un vídeo de 2005 muestra que ¡el pájaro carpintero salvaje sigue vivo! No obstante, los avistamientos realizados en la década pasada no han sido confirmados, de manera que no se conoce el número exacto de ejemplares.

2 EL NIDO MÁS PEQUEÑO

¿Te imaginas tener una casa del tamaño de una moneda? Pues ese es el tamaño del nido de este pájaro. Algunos colibríes construyen nidos con la profundidad de una cáscara de nuez, mientras que otros los hacen estrechos, como un dedal.

3 EL QUE MENOS DUERME

En el medio salvaje, la jirafa duerme aproximadamente cinco minutos seguidos, unas cuatro o seis veces al día. Suma y obtendrás como resultado que ¡la jirafa duerme apenas media hora cada día! Para un ser humano sería un caso grave de falta de sueño.

4 EL PRIMATE MÁS PEQUEÑO

En la selva del Amazonas vive una ágil bola de pelo de 120 gramos capaz de dar saltos de 5 metros. La cabeza y el cuerpo del tití pigmeo, miden juntos 13 centímetros de largo, pero su cola tiene una longitud de 20 centímetros y levanta una suave brisa al balancearse entre las ramas de los árboles.

5 LOS DIENTES MÁS PEQUEÑOS

Imagina el tamaño de la boca de un caracol. Después imagina esa boca llena de miles de dientes. ¡Una revisión en el dentista sería todo un desafío, no cabe duda!

6 LA MENOR ENVERGADURA

De punta a punta, las alas de este minúsculo insecto miden solo 0,3 milímetros de largo. ¡Menos que un granito de arena!

EN NUESTRO MUNDO

CUCARACHA ESPÍA

LAS CUCARACHAS LLEVAN VIVIENDO EN LA TIERRA MÁS DE 300 MILLONES DE AÑOS.

HAY MÁS DE 4.000 ESPECIES DE CUCARACHAS EN EL MUNDO.

En general, para lo único que sirven las cucarachas es para dar un poco de asco. Pero ahora los científicos han puesto a estos insectos a trabajar. Investigadores de la Universidad de Carolina del Norte, en Estados Unidos, han montado cámaras diminutas en el dorso de estos bichos, con la idea de que les conduzcan hasta espacios reducidos y construcciones de difícil acceso. ¡Pueden incluso ayudar a la gente en alguna catástrofe! ¿Cómo funciona el sistema? En primer lugar, los científicos colocan electrodos en las antenas del insecto, lo cual les permite «dirigir» a la cucaracha por control remoto. Después, acoplan al insecto una diminuta mochila que lleva una baliza localizadora y un minimicrófono para escuchar llamadas de socorro.

PASATIEMPOS

¿Cómo sobreviven los más pequeños en la naturaleza? ¡Ocultándose a la vista!

AHORA LOS VES... ¿VERDAD?

¿PUEDES ENCONTRAR AL BICHO CAMUFLADO EN CADA FOTO?

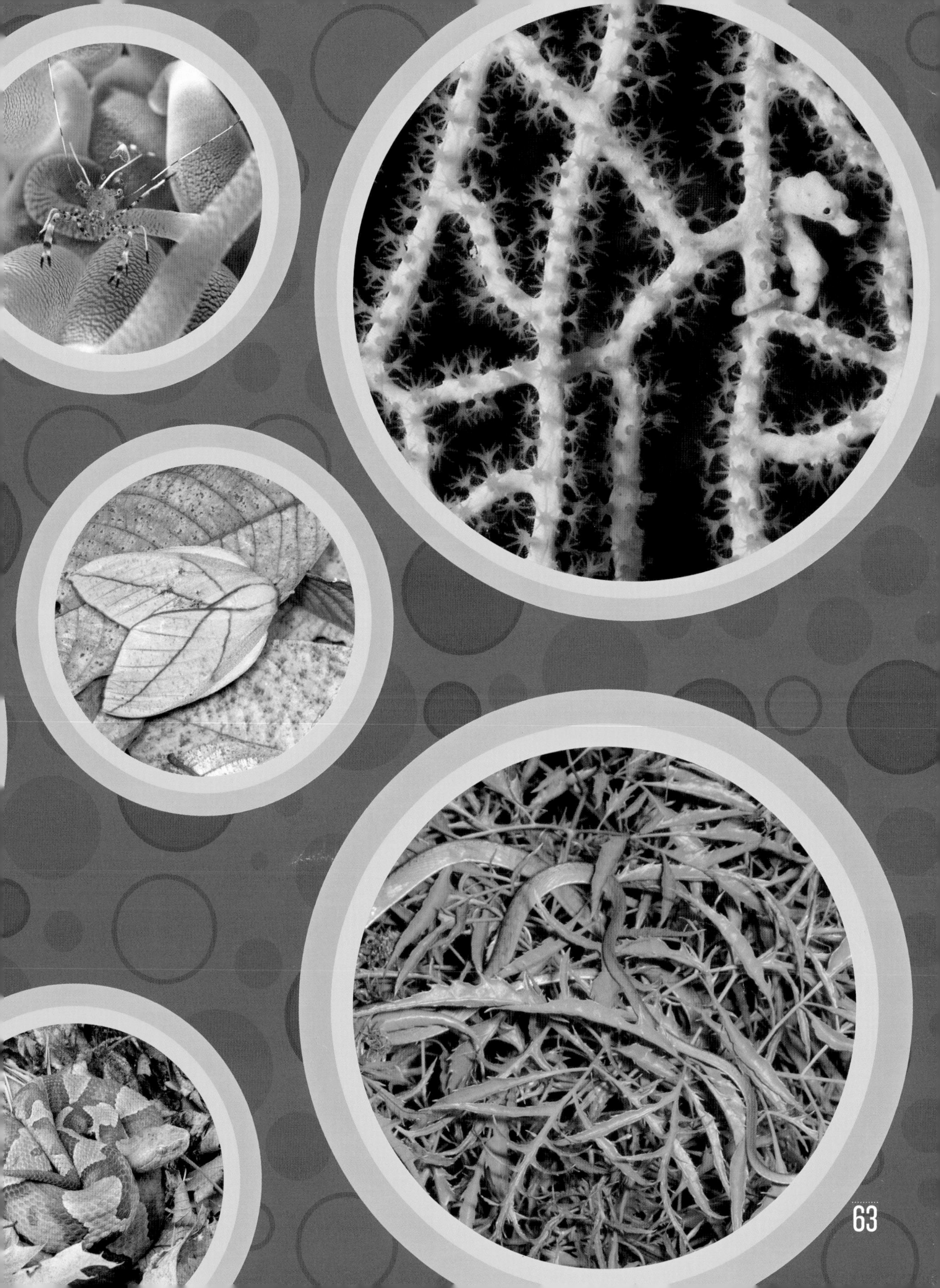

CAPÍTULO 3

ADIVINANZA

¿QUÉ ES LO QUE ESTÁ CUBIERTO DE PELO, PLUMAS O ESCAMAS Y ES MÁS RÁPIDO QUE TU HERMANO CUANDO QUIERE LLEGAR A TIEMPO A CLASE?

SOLUCIÓN: ¡Muchos de los animales de este capítulo!

La naturaleza está llena de veloces corredores, rápidos nadadores y ágiles voladores. Y, si bien es casi imposible medir la velocidad de cada miembro del reino animal, presentamos aquí algunas de las criaturas más conocidas por su necesidad de ser rápidas.

Y EL GANADOR ES...

HALCÓN PEREGRINO

¿Qué animal volador puede descender en picado desde el cielo a más de 300 kilómetros por hora para capturar a su presa? ¡El halcón peregrino! Y, cronometrando al ave número uno en velocidad, hay que decir que tampoco lo hace nada mal en vuelo en horizontal. Puede superar los 50 kilómetros por hora cuando sale a volar simplemente por placer.

NOMBRE CIENTÍFICO: ***FALCO PEREGRINUS***

CLASE: **AVES**

LONGITUD: **HASTA 50 CENTÍMETROS; ENVERGADURA EN TORNO A 1 METRO**

PESO: **1,5 KILOS**

ESTADO:

ALIMENTACIÓN: **SOBRE TODO AVES**

ESPERANZA DE VIDA: **17 AÑOS EN ESTADO SALVAJE**

HÁBITAT: **VARIADO; CÁLIDO, FRÍO, DESIERTOS, BOSQUES, HUMEDALES, ISLAS MARÍTIMAS, LLANURAS, MONTAÑAS**

DISTRIBUCIÓN: **TODO EL MUNDO, EXCEPTO LA ANTÁRTIDA**

Y LOS SUBCAMPEONES...

¡La megavelocidad de estos plusmarquistas queda fuera de competición!

EL ANIMAL TERRESTRE MÁS VELOZ

GUEPARDO

El mamífero terrestre más veloz del planeta puede pasar de 0 a 96 kilómetros por hora en apenas tres segundos. En primer lugar, los guepardos observan su entorno y esperan a que llegue una presa y, después, ¡zas!, corren al esprint hacia su meta y se abalanzan sobre la incauta presa antes que esta se dé cuenta.

EL AVE CORREDORA MÁS VELOZ

AVESTRUZ

Estas aves no voladoras pueden correr a más de 50 kilómetros por hora cubriendo largas distancias. Y lo que es aún más asombroso: los avestruces pueden acelerar hasta 70 kilómetros por hora en cortos esprints, cubriendo 5 metros de suelo de una sola zancada. ¡Esto sí que es correr a la velocidad del rayo!

EL PRIMATE MÁS VELOZ

MONO PATAS

Cuando se trata de escapar de los predadores que corren más rápido, los monos patas dejan a la mayoría de los animales mordiendo el polvo. Este primate de largas piernas puede alcanzar los 55 kilómetros por hora en un esfuerzo por escapar de leones, hienas y otros animales predadores que comparten hábitat con él en África.

EL MAMÍFERO PEQUEÑO MÁS VELOZ

MUSARAÑA ELEFANTE

También llamada *sengi*, esta criatura de nariz puntiaguda pesa poco más de 500 gramos y corre bastante para su escasa estatura. No parpadees o perderás de vista a este esprínter de cortas patas, que alcanza velocidades de ¡30 kilómetros por hora!

MÁS SUBCAMPEONES...

En estas páginas, otros animales que viven a toda velocidad.

LOS MAMÍFEROS MARINOS PEQUEÑOS MÁS VELOCES

MARSOPA DE DALL

De todos los mamíferos pequeños —si pueden calificarse como «pequeños» animales de 220 kilos— la marsopa de Dall se lleva la medalla de oro al nadador más veloz: puede alcanzar los 55 kilómetros por hora en distancias cortas. Y estos cetáceos de agua fría suelen nadar con amigos: ¡se han visto grupos de hasta 200 ejemplares saltando olas juntos!

EL AVE BUCEADORA MÁS VELOZ

PINGÜINO PAPÚA

Ninguna otra ave buceadora alcanza la velocidad del pingüino papúa, que llega a los 35 kilómetros por hora cuando se sumerge en las gélidas aguas. Esto puede impresionar para una zambullida, pero es que este fuerte pingüino se sumerge en el agua hasta 450 veces al día en busca de alimento.

EL PEZ MÁS VELOZ

PEZ VELA

A la carrera como un coche por la autopista, el pez vela puede nadar a más de 100 kilómetros por hora en trayectos cortos. Este pez veloz emplea su velocidad, así como su enorme aleta dorsal, para acorralar a sardinas y anchoas, que se desplazan en bancos y son su principal alimento.

EL CORAL DE CRECIMIENTO MÁS VELOZ

CORAL CUERNO DE CIERVO

Las ramas de este invertebrado del Caribe —el coral de más rápido crecimiento del Atlántico occidental— crecen hasta 20 centímetros al año. El coral cuerno de ciervo debe su nombre a que sus ramas se asemejan... ¡Adivínalo!... a la cornamenta de un ciervo macho.

¡LA CIENCIA DE LA VELOCIDAD!

Como una máquina perfectamente a punto, el guepardo es todo él precisión y potencia. Comprueba qué es lo que hace que estos gatos grandes sean tan rápidos.

COLUMNA ELÁSTICA

Cuando el guepardo corre, su columna se encoge como un muelle, confiriéndole la capacidad de dar zancadas extralargas, de hasta 8 metros

PUNTA DE LA COLA

Una larga cola equilibra su peso corporal y actúa como contrapeso, facilitando con su movimiento los cambios de dirección del felino.

MEGAMÚSCULOS

Gracias a la fuerte musculatura de sus extremidades posteriores, el guepardo se impulsa con fuerza en cada zancada.

LARGAS PATAS

Gracias a sus largas extremidades, un guepardo a la carrera puede cubrir de una sola zancada la longitud de una limusina grande.

CABEZA FIRME

La cabeza, ligera y pequeña, se mantiene estable durante la carrera, lo cual hace que el guepardo sea superaerodinámico.

AIRE EXTRA

¡Qué narices tan grandes tienes! Las cavidades nasales expandidas permiten que el guepardo inspire más oxígeno.

PIES RÁPIDOS

Unas garras romas y unos pies fuertes actúan como unas botas de fútbol integradas, favoreciendo el agarre al suelo y potenciando el impulso.

RASGOS DE VELOCIDAD

En lo referente a velocidad, ¡ninguno de estos animales es un vago! Mira por qué son tan rápidas estas criaturas:

PEZ VELA

VELOCIDAD MÁXIMA: **110 KM/H**

RASGOS DE VELOCIDAD: Un morro largo y puntiagudo y un cuerpo aerodinámico actúan juntos para que este pez corte sigilosamente el agua.

HALCÓN PEREGRINO

VELOCIDAD MÁXIMA: **320 KM/H CUANDO SE ZAMBULLE EN EL AGUA PARA ATRAPAR A SU PRESA**

RASGOS DE VELOCIDAD: Los potentes músculos del pecho dan impulso al ave cuando agita sus largas y curvadas alas. Las plumas, delgadas y rígidas, también contribuyen a la figura limpia y aerodinámica del halcón.

POLILLA HALCÓN

VELOCIDAD MÁXIMA: **19 KM/H**

RASGOS DE VELOCIDAD: Sus largas y estrechas alas anteriores y un abdomen aerodinámico ayudan a este insecto a volar más deprisa que muchas aves.

IGUANA RAYADA

VELOCIDAD MÁXIMA: **34 KM/H**

RASGOS DE VELOCIDAD: Las fuertes extremidades posteriores proporcionan a este animal potencia, mientras que su larga cola le permite ganar velocidad sin tropezar.

EN PRIMER PLANO

Tanto si corren como si saltan o vuelan, estos espeluznantes bichillos dejan al resto mordiendo el polvo.

TURBO ARTRÓPODOS

EL ENJAMBRE MÁS RÁPIDO

LANGOSTA

Cuando estos insectos con aspecto de saltamontes se mueven en grupo, no pierden tiempo. Un enjambre puede cubrir casi 1.200 kilómetros cuadrados y reunir a 80 millones de langostas en menos de 1,5 kilómetros cuadrados. Un enjambre de este tamaño puede comerse 192 millones de kilos de plantas en un día.

EL AVIADOR MÁS RÁPIDO

LIBÉLULA AUSTRALIANA

¡Mira hacia arriba, al cielo! ¡Es un pájaro, es un avión... es... una libélula australiana! Este veloz insecto puede alcanzar una velocidad de 58 kilómetros por hora.

EL ALETEO MÁS RÁPIDO

MOSCA DE LA FRUTA

Si apostaras con tu padre un euro por cada batir de alas de la mosca de la fruta, ganarías más de 200 euros por segundo. ¡No está nada mal!

EL INSECTO MÁS RÁPIDO

ESCARABAJO TIGRE

Este veloz insecto puede salir disparado a 9 kilómetros por hora. Y, por si esto fuera poco, se vuelve ciego cuando corre, de modo que ha de usar sus antenas para orientarse.

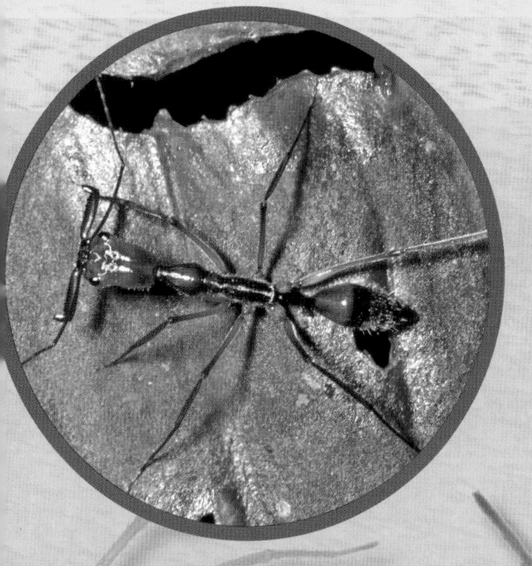

LA MORDEDURA MÁS RÁPIDA

HORMIGA DE MANDÍBULA TRAMPA

¿Acabas de parpadear? Este insecto puede cerrar sus mandíbulas a 230 kilómetros por hora, 2.300 veces más deprisa que un parpadeo tuyo. Estas increíbles hormigas pueden además emplear su asombrosa velocidad de cierre mandibular para escapar de potenciales predadores, dirigiendo su aparato bucal hacia el suelo y catapultándose a sí mismas por los aires más de 7,5 centímetros.

LA ARAÑA MÁS RÁPIDA

ARAÑA DOMÉSTICA GIGANTE

Con una longitud corporal de apenas 1,5 centímetros, este veloz arácnido puede correr a medio metro por segundo. Esto equivale a cubrir en un instante 34 veces la longitud de su cuerpo. ¡Imagina lo rápido que podrías correr con ocho patas!

CAMBIOS RÁPIDOS DE DISFRAZ

El camuflaje es una eficaz defensa para muchas criaturas, pero ¡estos artistas de la transformación lo hacen a una velocidad impresionante!

ESCARABAJO TORTUGA DE ORO

Este escarabajo de curioso aspecto puede cambiar rápidamente su color de un dorado brillante a tonos de rojo, naranja o marrón. ¡A veces, incluso con manchas! Lo hace para atraer a la hembra o si le molesta un predador.

ARAÑA *CHRYSSO*

Se han observado especies de este insecto que cambian rápidamente de color en cuanto perciben un peligro. ¡Como Spiderman!

PULPO MIMÉTICO

Fíjate en este veloz transformista y verás un cambio asombroso: una criatura capaz de imitar el medio que la rodea y prácticamente desaparecer a simple vista.

SEPIA

El sistema nervioso de este animal le permite cambiar de «traje» a voluntad. De este modo la sepia puede «hipnotizar» a su presa antes de proceder a agarrarla con sus tentáculos.

LENGUADO TROPICAL

¿Dónde se encontraba el lenguado tropical de la foto? Este pez utiliza un ojo para reconocer el color y el dibujo del suelo del océano en el que se encuentra y después se funde con él.

PEZ PLANO

Puede que pienses que estás viendo motas de arena sobre el suelo del océano, pero acércate y verás el contorno de un pez plano posado en el fondo. ¡Es camuflaje instantáneo!

UNA MANTIS ¡QUÉ LOCURA!

Recientemente los científicos han descubierto, no una, sino 19 nuevas especies de mantis. ¡Y resulta que todas ellas son superrápidas! Las llamadas mantis de la corteza, presentes exclusivamente en troncos y ramas de árboles de las selvas de América Central y del Sur, son más pequeñas, más planas y anchas que la mantis religiosa común, la más conocida. Y en lugar de confiar en ataques sigilosos para capturar a su presa, como hacen sus primas mayores, estos insectos la persiguen y le dan caza. Su velocidad les permite también correr para ponerse a salvo cuando se le acercan potenciales predadores, como aves o ranas.

Pero su velocidad no es el único rasgo curioso de estas mantis. Para tener un registro de las diferentes especies, se les han dado originales nombres, como *Liturgusa krattorum* (por los hermanos Kratt, creadores de la serie estadounidense *Wild Kratts* de dibujos animados sobre biología animal) y *Liturgusa algorei* (en honor del exvicepresidente de Estados Unidos y activista en protección medioambiental Al Gore). Algunas llevan incluso el nombre de las jóvenes hijas del científico que las descubrió.

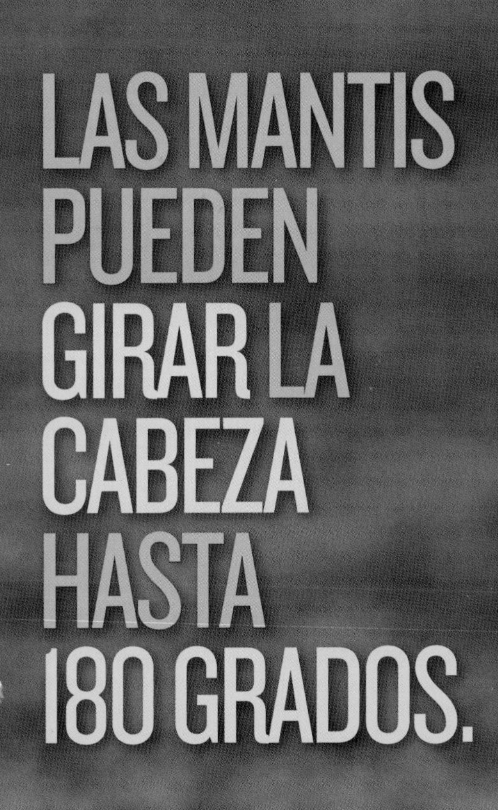

LAS MANTIS PUEDEN GIRAR LA CABEZA HASTA 180 GRADOS.

LAS MANTIS DE LA CORTEZA **SE HACEN LAS MUERTAS** SOBRE EL SUELO DEL BOSQUE **PARA NO SER DEVORADAS** POR PREDADORES.

DUELO ENTRE ESPECIES

A LA CARRERA

¿Qué animal ganaría la carrera?

¿QUIÉN ES EL NADADOR MÁS RÁPIDO?

Aunque algunos seres humanos pueden sin duda cortar el agua a una velocidad asombrosa, los mejores nadadores del mundo alcanzan apenas los 7,2 kilómetros por hora. Los delfines pueden recorrer nadando más de 160 kilómetros al día, alcanzando una velocidad superior a los 30 kilómetros por hora.

¿CUÁL VUELA MÁS DEPRISA?

Los patos pueden no parecer las aves más veloces, pero la mayoría de las aves acuáticas pueden volar a 65-100 kilómetros por hora. Los gorriones solo alcanzan una velocidad de 50 kilómetros por hora.

¿CUÁL ES EL TREPADOR MÁS RÁPIDO?

Los gecos trepan casi a la misma velocidad a la que corren por el suelo, en torno a un metro por segundo. En una carrera hasta lo alto de un muro, el reptil ganaría a la araña, que alcanza una velocidad máxima de 0,6 metros por segundo.

¿CUÁL ES EL SALTADOR MÁS RÁPIDO?

Con saltos de algo más de medio metro, los canguros pueden realmente aumentar su velocidad y alcanzar los 64 kilómetros por hora en distancias cortas. Resulta quizá más asombroso que una liebre de poco más de medio metro de largo pueda igualar esta velocidad cuando huye de un predador.

¿CUÁL ES MÁS RÁPIDO EN GRANDES DISTANCIAS?

El dromedario puede mantener una velocidad de carrera de alrededor de 40 kilómetros por hora durante más de 32 kilómetros. Esto equivale para una persona a correr una maratón en una hora y 2 minutos; así pues, más de una hora de ventaja sobre el más rápido de los seres humanos. Sobre grandes distancias, los caballos mantienen una velocidad de apenas 17 kilómetros por hora.

CABALLO VS. DROMEDARIO

EN CIFRAS

VELOCÍMETRO DE ESPECIES

¿Cómo son de rápidos?

RATÓN
13 KM/H

MAMBA NEGRA
20 KM/H

PEREZOSO
0,25 KM/H

CARACOL DE JARDÍN
0,05 KM/H

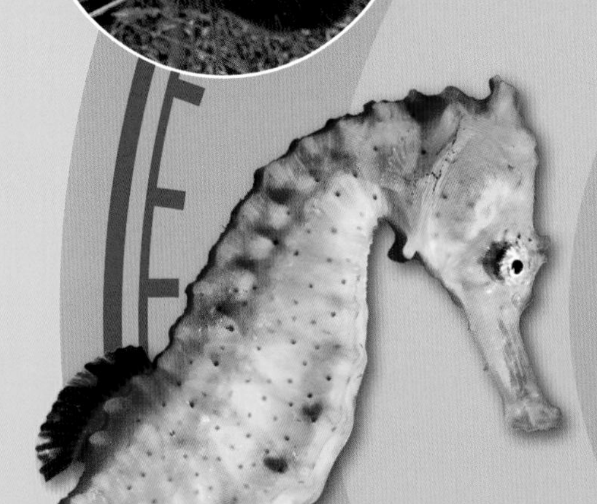

CABALLITO DE MAR
0,01 KM/H

BOLT
SER HUMANO
45 KM/H
OSO GRIZZLY
48 KM/H
AVESTRUZ
70 KM/H
GACELA DE
THOMSON
80 KM/H
GUEPARDO
113 KM/H

DINO VELOCISTA

Los científicos han creado complicados modelos y realizado elaborados cálculos hasta llegar a la conclusión de que *Compsognathus* fue el dinosaurio más veloz que corrió por la superficie de la Tierra. Podía alcanzar una velocidad de unos 65 kilómetros por hora. Piensa en algo a medio camino entre el galope de un caballo y el esprint de un guepardo. Esta criatura, del tamaño de una gallina, debía su velocidad a sus huesos huecos y a sus robustas extremidades, similares a las de un ave. Su larga cola le ayudaba a mantener el equilibrio cuando alcanzaba su velocidad máxima. ¡La velocidad era, sin duda, una cualidad muy práctica en el Jurásico!

COMPSOGNATHUS

CUÁNDO VIVIÓ: **JURÁSICO SUPERIOR (HACE 150 MILLONES DE AÑOS)**

DISTRIBUCIÓN: **EUROPA**

PESO: **4 KILOS**

ALTURA: **0,7 METROS**

LONGITUD: **0,65 METROS**

OTROS VELOCISTAS

EFÍMERA HEMBRA

1 LA ECLOSIÓN MÁS RÁPIDA ENTRE LOS SAPOS

En el mundo de los sapos, esta criatura es la que pasa menos tiempo dentro del cascarón. Los huevos eclosionan a menudo en las 48 horas siguientes a la puesta.

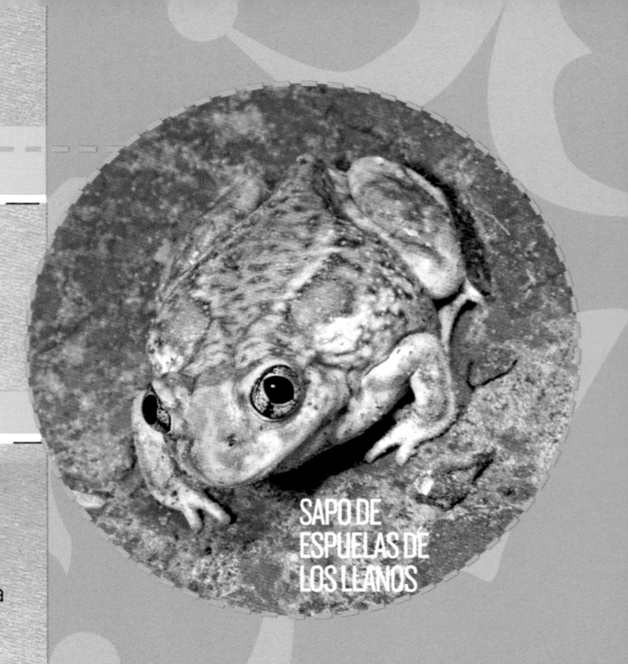
SAPO DE ESPUELAS DE LOS LLANOS

2 EL ADULTO MÁS RÁPIDO

Muchos seres humanos apenas saben hacer en cinco minutos algo más que vaciar un bol de helado, pero la hembra de efímera de la especie *Dolania americana* ¡vive toda su vida adulta en menos de cinco minutos! Tras un año de vida en forma de ninfa en el lecho de un río, sube a la superficie para pasar una edad adulta superrápida: encuentra un macho, pone huevos... ¡y muere!

3 EL PUÑETAZO MÁS RÁPIDO

La garra de este poderoso animal golpea a su presa como si fuera un martillo, y el potente puñetazo se produce 50 veces más deprisa de lo que tardas tú en pestañear una sola vez. La gamba mantis deja de inmediato sin sentido a su presa y a menudo hace añicos los caparazones de los animales a los que ataca. Puede destrozar un vidrio grueso de un golpe. ¿Te imaginas tú con esa fuerza?

GAMBA MANTIS

DIAMANTE
CEBRA

TOPO DE NARIZ
ESTRELLADA

4 LOS MÚSCULOS MÁS RÁPIDOS

¡Vamos, flexiona tus músculos! Demasiado despacio. Los músculos que se mueven más deprisa en todo el mundo animal son los de la garganta de algunos pájaros cantores como el diamante cebra y el estornino europeo. Para que entonen a pleno pulmón sus increíbles gorjeos, deben mover los músculos de la garganta cien veces más deprisa que el parpadeo del ojo humano.

5 EL MAMÍFERO QUE COME MÁS DEPRISA

Este mamífero de extraño aspecto ¡tiene un apetito tremendo! Es capaz de engullir su comida en menos de un cuarto de segundo, es decir, unos 227 milisegundos.

6 LA SERPIENTE MÁS RÁPIDA

Esta serpiente puede reptar a 20 kilómetros por hora, lo que la convierte en una de las serpientes más veloces del mundo. Y si ves una, mejor será que ella esté alejándose de ti, pues su veneno es mortal.

GAMBA PODEROSA

La gamba mantis es fascinante por algo más que noquear a sus presas. Sus ojos se encuentran entre los más complejos del mundo animal. Puede ver diez veces más colores que el ojo humano e incluso puede ver la luz ultravolieta. Combina su vista de primera categoría con sus habilidades de boxeo; en resumen, ahora la ves... —¡zas!— y ahora no la ves.

MAMBA NEGRA

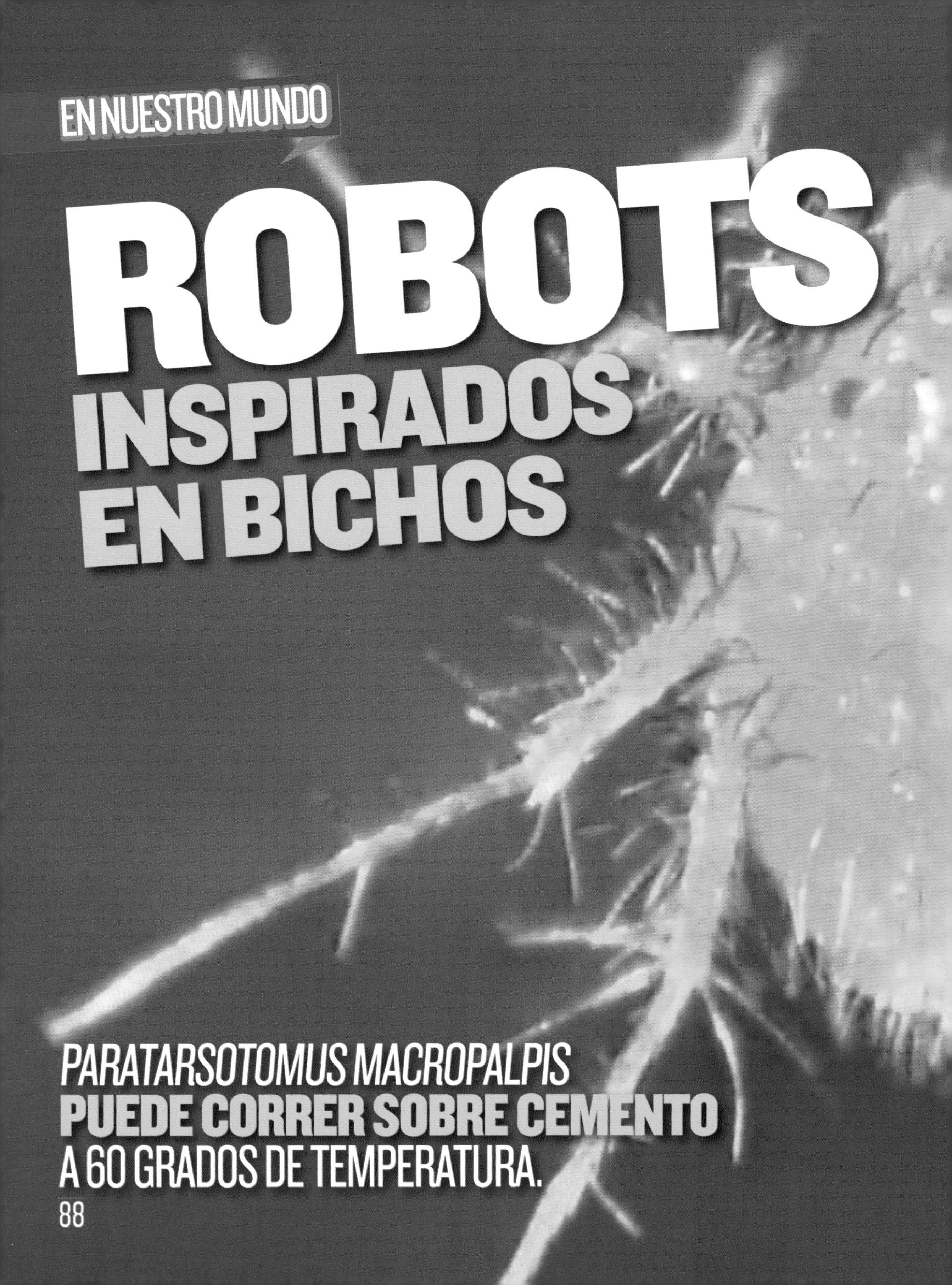

ROBOTS INSPIRADOS EN BICHOS

PARATARSOTOMUS MACROPALPIS **PUEDE CORRER SOBRE CEMENTO** A 60 GRADOS DE TEMPERATURA.

Piénsatelo dos veces antes de aplastar a ese diminuto bicho que corretea por el suelo: podría ser *Paratarsotomus macropalpis*, un ácaro del tamaño de una semilla de sésamo que vive en el sur de California, Estados Unidos, y que se considera uno de los animales más veloces de la Tierra, en proporción con su tamaño corporal. ¿Cómo es posible? Este ácaro cubre en un segundo una distancia equivalente a 322 veces la longitud de su cuerpo, de modo que derrotaría a todos los demás animales terrestres si los redujeras proporcionalmente al mismo tamaño.

Pero los científicos consideran a estos bichos mucho más que simples pizcas veloces. Estudiando el modo en el que estos diminutos ácaros son capaces de moverse tan deprisa y reproduciendo luego su técnica, esperan desarrollar robots miniatura superveloces e incluso nuevas prótesis para partes defectuosas del cuerpo humano.

No es la primera vez que un bicho ha servido de inspiración a la moderna tecnología. Los ingenieros en robótica han estudiado también la biomecánica de la superrápida cucaracha para crear un robot del tamaño de un iPhone que puede moverse a 1,5 metros por segundo, sobre una distancia de 1.600 metros. Y otros científicos están observando el vuelo de los insectos para desarrollar minúsculos robots voladores, que podrían utilizarse en un montón de cosas, desde la exploración de espacios reducidos hasta el espionaje.

Aunque la tecnología más allá de estos «biobots» está aún en fase de perfeccionamiento, los investigadores esperan ser capaces pronto de ayudar al ser humano en operaciones de búsqueda y rescate de víctimas, por ejemplo en terremotos, así como en la localización de material peligroso. Ahora quizá te lo pienses dos veces antes de aplastar de un pisotón a esa cucaracha que está cruzando el suelo de tu cocina... o tal vez no.

DUELO DE MEDALLAS

Si estos diez animales se enfrentaran mano a mano, perdón, pezuña a garra (o ala a aleta) en una carrera, ¿cuál ganaría? Une cada animal con su posición en el podio.

MARSOPA DE DALL
AVESTRUZ
2.º
1.º
MONO PATAS
GUEPARDO
8.º
4.º
5.º
POLILLA HALCÓN
ARAÑA DOMÉSTICA GIGANTE
RESPUESTAS
1.º: Halcón peregrino
2.º: Pez vela
3.º: Guepardo
4.º: Liebre
5.º: Mono patas
6.º: Marsopa de Dall
7.º: Avestruz
8.º: Oso grizzly
9.º: Polilla halcón
10.º: Araña doméstica gigante

CAPÍTULO 4

VE DESPACIO

Y RESPIRA HONDO. LOS ANIMALES DE ESTE CAPÍTULO NO VAN A IRSE A NINGUNA PARTE.

Estas criaturas se cuentan entre las especies más lentas del planeta. Reptan, trepan, nadan e incluso comen a un ritmo relajado. Pero el hecho de que sean lentos no quiere decir que sean unos vagos. ¡Solo se toman las cosas con tranquilidad!

Y EL GANADOR ES...

Existen multitud de animales de movimientos lentos en el planeta, como caracoles, babosas y estrellas de mar, que apenas se desplazan. Pero solo un mamífero es tan lento que su nombre hace alusión precisamente a esta característica. Por dicha razón hemos coronado al perezoso de tres dedos ¡como rey de la cámara lenta! Este mamífero peludo se mueve por tierra a una velocidad de apenas 0,15 kilómetros por hora. ¡Es tan lento que le crecen algas en el pelo! Sorprendentemente, sin embargo, los perezosos son nadadores bastante hábiles: se zambullen en el agua desde los árboles y utilizan sus largos brazos para impulsarse en ella, como si fueran remos.

NOMBRE CIENTÍFICO: **BRADYPUS TRIDACTYLUS**

CLASE: **MAMÍFEROS**

LONGITUD: **CUERPO 50-60 CM; COLA 5-6 CM**

PEREZOSO DE TRES DEDOS

ESTADO: **PREOCUPACIÓN MENOR**

ESPERANZA DE VIDA: **40 AÑOS, EN ESTADO SALVAJE**

HÁBITAT: **COPAS DE LOS ÁRBOLES DE BOSQUES TROPICALES**

ALIMENTACIÓN: **HOJAS, BROTES, RAMITAS**

DISTRIBUCIÓN: **AMÉRICA DEL SUR**

PESO: **3-5 KILOS**

Y LOS SUBCAMPEONES...

Comprueba cuáles son esas criaturas que prefieren vivir despacio.

EL PEZ MÁS LENTO

CABALLITO DE MAR

Esta tranquila criatura marina avanza a un ritmo más lento que cualquier pez del océano, de manera que algunas especies apenas alcanzan la velocidad de 0,015 kilómetros por hora. Por su aspecto se parece a un caballo, pero no por su velocidad de movimiento.

EL MARSUPIAL
MÁ S LENTO
KOALA

Este herbívoro arborícola nativo de Australia come casi exclusivamente hojas de eucalipto, una dieta rica en fibra pero baja en proteína que no lo anima mucho. Dado que no le sobra energía, este marsupial superlento pasa dormido en torno al 75 por ciento del tiempo y dedica solo unos cinco minutos al día a moverse activamente por su entorno. ¡Eso sí que es vivir tranquilo!

EL REPTIL
MÁS LENTO
TORTUGA

¡Qué tal un paseo tranquilo! Las criaturas de la familia Testudinidae tienen un caparazón grande y pesado, que hace difícil que puedan ganar ninguna carrera de velocidad. Una tortuga del desierto, por ejemplo, puede tardar un minuto en recorrer solo 3 metros.

EL INSECTO CON ALAS
MÁS LENTO
MARIPOSA COLA DE GOLONDRINA

Cinco aleteos por segundo (300 por minuto) pueden parecernos muchos, pero en realidad es el batir de alas más lento de todos los insectos. El diseño del anverso de la cola de esta mariposa parece una cara, con ojos y antenas, lo cual confunde a los predadores y da a la mariposa algo más de tiempo para escapar.

MÁS SUBCAMPEONES...

Otras cuatro superestrellas de la lentitud en el reino animal.

EL MOLUSCO MÁS LENTO

CARACOL DE JARDÍN

¿Sabes lo que significa la frase «eres más lento que un caracol»? Significa que, a velocidad máxima, ¡tardas una hora en recorrer apenas 45 m! Está claro que esto es ser lento, pero tampoco está tan mal para un bichillo que lleva la casa a cuestas.

EL AVE MÁS LENTA

CHOCHA AMERICANA

Esta simpática ave, que vuela a 8 kilómetros por hora, ha batido el récord en la categoría de velocidad o, mejor dicho, de falta de esta. Tiene un pico muy largo, que le sirve para extraer insectos del suelo.

EL MOLUSCO SIN CAPARAZÓN MÁS LENTO

BABOSA BANANA

¿Quién ha tirado un plátano al suelo? ¡Ah, no! Es la babosa banana, que a menudo es amarilla, pero que también puede ser verde, marrón o blanca. Estas criaturas segregan una baba viscosa y pueden recorrer una distancia de 16,5 centímetros por minuto. ¡En fin..., sí que es lenta!

LA CHINCHE MÁS LENTA

CHINCHE RUEDA

Esta chinche asesina es el único insecto de Estados Unidos, Guatemala y México que luce cresta y, de hecho, debe su nombre a la protuberancia en forma de rueda que muestra detrás de la cabeza. Es un habitante beneficioso de los jardines, pues sus presas son insectos de plagas nocivas. La chinche rueda, de largas patas y cabeza pequeña, atraviesa e inmoviliza a su presa en segundos con su picadura tóxica.

CASOS CURIOSOS

LA VELOCIDAD DE LA VISTA

Algunos pequeños animales son rápidos, pero su visión funciona realmente a cámara lenta. Los investigadores han descubierto que, cuanto más pequeña es la criatura, más información procesa en un período corto de tiempo, lo cual le otorga ventaja a la hora de evitar un peligro o escapar de los predadores. Pongamos, por ejemplo, una mosca doméstica. La velocidad de visión de una mosca es cuatro veces mayor que la de un ser humano. Unos ojos más rápidos conducen a una perspectiva en cámara lenta, lo cual otorga al insecto tiempo para reaccionar y huir... cuando un periódico enrollado sobrevuela su cabeza. ¡No es de extrañar que sea tan difícil coger con tu mano a uno de estos molestos insectos!

MOSCA DOMÉSTICA

DE UN VISTAZO

Tener una capacidad de visión más rápida significa ver el mundo en relativa cámara lenta. He aquí la velocidad de visión de algunas especies animales en comparación con la del ser humano.

MOSCA DOMÉSTICA: **4 VECES MÁS RÁPIDA**

ARDILLA DE MANTO DORADO: **2 VECES MÁS RÁPIDA**

MACACO RHESUS: **1,6 VECES MÁS RÁPIDA**

PERRO: **1,4 VECES MÁS RÁPIDA**

GATO: **1,1 VECES MÁS LENTA**

SALAMANDRA TIGRE: **2 VECES MÁS LENTA**

TIBURÓN LIMÓN: **3,3 VECES MÁS LENTA**

TORTUGA LAÚD: **4 VECES MÁS LENTA**

ANGUILA EUROPEA: **4,3 VECES MÁS LENTA**

ISÓPODO DE MARES PROFUNDOS (UN BICHO BOLA MARINO): **15 VECES MÁS LENTA**

EN PRIMER PLANO

LENTOS PERO SEGUROS BAJO EL MAR

MANATÍ

También llamado «vaca marina», por sus movimientos tranquilos y seguros. Este pesado gigante nada a unos 8 kilómetros por hora, de manera que es uno de los mamíferos marinos más lentos. ¡Pero no subestimes al manatí! Si es necesario, puede alcanzar más de 30 kilómetros por hora en distancias cortas.

ESPONJA DE MAR

Esperemos que esta esponja de mar no esté en apuros: recorre una distancia de apenas 1-4 milímetros al día. Ello permite a este animal que se alimenta por absorción tener mucho tiempo para empaparse de la belleza del océano.

ESTRELLA DE MAR

Las estrellas de mar utilizan sus miles de minúsculos pies para moverse por el océano a más de 1 metro por minuto. Si una huida lenta termina en un desagradable encuentro con otro animal, no pasa nada. Si esta hábil criatura marina pierde un brazo, ¡vuelve a crecerle! ¡A veces, incluso el cuerpo entero!

NARVAL

Puede que este cetáceo del Ártico sea uno de los nadadores más lentos del océano, pero muestra una sorprendente resistencia, digna de una maratón: puede bucear en aguas profundas durante más de 20 minutos sin salir a la superficie para tomar aire. Los narvales, lentos pero seguros, presentan un largo colmillo característico (desmesurado en los machos) de 2,5 metros, lo que les ha valido el apodo de «unicornios del mar».

TIBURÓN DE GROENLANDIA

Pensamos, en general, que todos los tiburones son rápidos y que están listos para el ataque en cualquier momento, pero el tiburón de Groenlandia nada a menos de 1,6 kilómetros por hora. Este pez se ha ganado el apodo de «tiburón durmiente», porque es tan lento que a veces parece que está dormido.

ANÉMONA DE MAR

Este animal marino se fija a las rocas del suelo oceánico y se queda ahí. A veces, sin embargo, estas criaturas con tentáculos se desplazan flexionando su cuerpo, en un movimiento tan lento que se capta mejor mediante la técnica de filmación a cámara rápida. También pueden moverse desprendiéndose del suelo e inflando su cuerpo, que de este modo es arrastrado más fácilmente por las corrientes marinas hasta otro lugar.

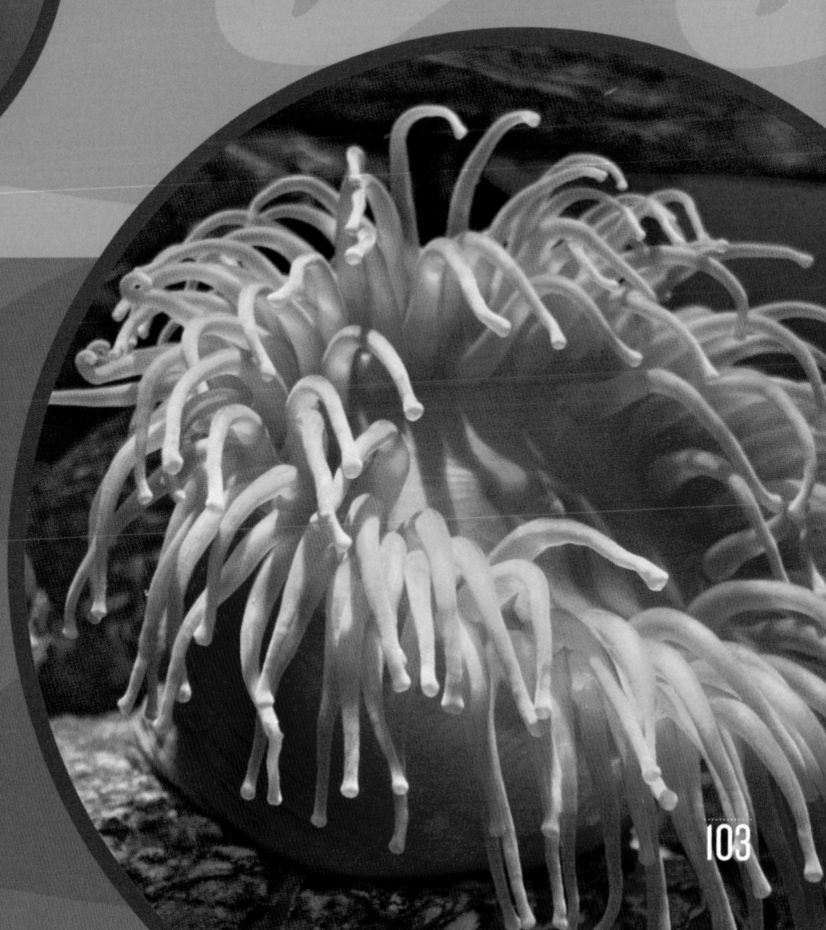

PERROS BAJITOS

Existen en general tres razones por las que algunos perros son lentos: tienen patas supercortas, pesan demasiado o son demasiado pequeños para alcanzar grandes velocidades. Aquí tienes algunos de los miembros más lentos de la comunidad canina que responden a esos criterios.

DACHSHUND

¡El teckel o perro salchicha sí que tiene las patas cortas! Aunque sabemos que los perros de raza dachshund alcanzan los 25 kilómetros por hora en distancias cortas, son considerados lentos en comparación con algunos de sus hermanos mucho más rápidos.

SKYE TERRIER

Las cortas patas del Skye terrier lo sitúan en los últimos puestos en las listas de perros ordenados por velocidad. De hecho, esta singular raza hace suficiente ejercicio simplemente caminando por casa. En cambio, estos nobles perros ganan puntos en lo que respecta a la atención y al afecto que demuestran a su amo y pueden ser entrenados para trabajar como perros de terapia.

PEQUINÉS

Introducidos en Occidente por los británicos en el siglo XIX, los perros de esta raza eran los animales de compañía de nobles y miembros de la familia real en la antigua China. Con una altura a la cruz de apenas 15-23 centímetros, este distinguido y peludo can de cortas patas se mueve relativamente despacio.

CLUMBER SPANIEL

El perro de raza clumber spaniel es de origen británico y, como la típica tetera de aquel país, es bajito y fuerte. Con una altura a los hombros de hasta unos 50 centímetros y un peso de alrededor de 38 kilos, tiene la habilidad de moverse sigilosamente y de ladrar poco, aspectos que lo convierte en el compañero ideal para salir a cazar.

BULLDOG INGLÉS

¡Guau! Los perros de esta raza son buenos y sensibles. Van por ahí con sus andares de pato, soportando sus 18-23 kilos de peso corporal sobre sus cortas y robustas patas. Los bulldogs que comen demasiado entre horas pueden sufrir problemas de peso, lo cual contribuye a sus lentos movimientos.

BASSET HOUND

Este sabueso de largas orejas y cortas patas no ha ganado ninguna carrera últimamente: sus patas miden menos de la mitad de la altura total de su cuerpo y sostienen casi 30 kilos de perro. El basset hound, en origen una raza de perros de caza, camina a paso lento, de tal manera que sus compañeros humanos pueden seguirlo fácilmente.

¡ESPECIE LENTA, ADN RÁPIDO!

No hay mucho de rápido en un tuátara. Este reptil con escamas similar a una iguana vive exclusivamente en Nueva Zelanda y crece despacio, se mueve despacio y, en fin, así todo, con una excepción: dicen los científicos que, en realidad, estos animales son esprínteres de la evolución. Después de recuperar secuencias de ADN de los huesos de fósiles de tuátara con alrededor de 9.000 años de antigüedad, los científicos fueron capaces de establecer la velocidad de los cambios en el ADN. ¿Y qué descubrieron?

El ADN del tuátara cambia más deprisa que el de cualquier otro animal en la Tierra. Esto fue una sorpresa para los expertos, pues echaba abajo la teoría, defendida durante mucho tiempo, de que los animales de movimientos lentos evolucionan también a ritmo lento.

Los científicos esperan seguir estudiando el ADN de los tuátaras para saber más acerca de la evolución del ser humano. Y dado que estos «fósiles vivientes» pueden vivir más de 100 años en estado salvaje, los estudiosos disponen de mucho tiempo para ponerse al día.

LOS TUÁTARAS PUEDEN CONTENER LA RESPIRACIÓN DURANTE UNA HORA.

LOS TUÁTARAS TIENEN **UN TERCER OJO** EN LA PARTE MÁS ALTA DE **LA CABEZA.**

¡CÓMO SE PUEDE SER TAN LENTO!

Animales cara a cara para ver qué especie es la más lenta.

KOALA vs. PEREZOSO

¿CUÁL DUERME MÁS?

En realidad, los perezosos son mucho menos vagos que los koalas, que duermen alrededor de 18 horas al día. Un estudio reciente encontró que los perezosos en estado salvaje duermen 9,5 horas al día, 6 horas menos de lo que se pensaba antes.

TORTUGA GIGANTE vs. LAGARTO

¿CUÁL RESPIRA MÁS DESPACIO?

¿Esperando a que una tortuga eche el aire? ¡No contengas más la respiración! Se ha observado que los reptiles toman aire solo cuatro veces por minuto, mientras que los lagartos tienen una frecuencia respiratoria cerca de diez veces más rápida.

¿CUÁL DIGIERE MÁS DESPACIO LA COMIDA?

El wombat puede tardar hasta dos semanas en digerir una comida, lo que en realidad es muy práctico cuando escasean los alimentos. Los canguros tienen un sistema digestivo más activo y procesan lo que comen en menos de un día.

¿CUÁL SE DESLIZA MÁS DESPACIO?

No todas las serpientes son iguales. La serpiente de escamas gruesas —una serpiente venenosa de tamaño medio que vive en Australia— se considera una de las serpientes más lentas de la Tierra, con una velocidad estimada de 1,5 kilómetros por hora. Su pariente la serpiente látigo, no venenosa, puede moverse a 6,5 kilómetros por hora, lo cual le resulta muy útil cuando persigue a una presa o huye del enemigo.

EN CIFRAS

LA CARRERA POR E
ÚLTIMO PUESTO

3 MINUTOS

ARAÑA

2 MINUTOS

PINGÜINO EMPERADOR

9,58 SEGUNDOS

SER HUMANO

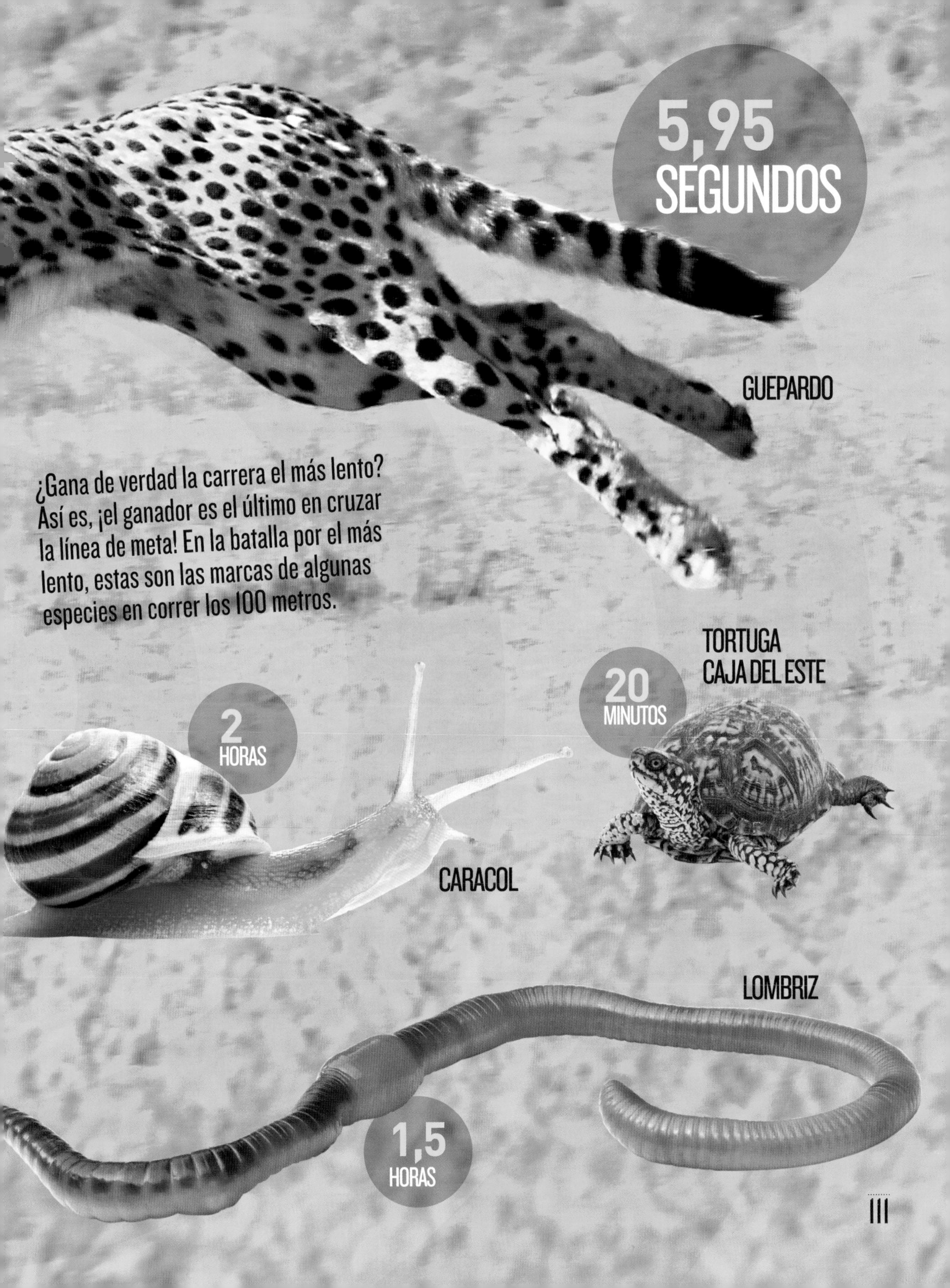

¿Gana de verdad la carrera el más lento? Así es, ¡el ganador es el último en cruzar la línea de meta! En la batalla por el más lento, estas son las marcas de algunas especies en correr los 100 metros.

UN DINO LENTO, LENTO

Los científicos no saben con seguridad a qué dinosaurio le habría correspondido el récord en la categoría de movimientos más lentos, pero *Stegosaurus* se encontraría definitivamente en los primeros puestos de bestias pausadas. Este animal colosal se movía a tan solo 6 kilómetros por hora en distancias cortas. Era tan lento que un ser humano habría podido dejarlo atrás fácilmente. Lo único que es posible que *Stegosaurus* hiciera deprisa es balancear su espinosa cola como si fuera un arma. ¿Por qué era tan lento? La respuesta sigue siendo un misterio, pero probablemente tenga que ver con sus cortas patas y con las pesadas placas de su dorso. Los científicos creen que es posible que estas placas prominentes le sirvieran como señal de advertencia dirigida a los predadores prehistóricos, a fin de mantenerlos alejados, o tal vez para ayudar a los miembros de su misma especie a reconocerse entre sí.

STEGOSAURUS

CUÁNDO VIVIÓ: **JURÁSICO SUPERIOR (HACE 150 MILLONES DE AÑOS)**

DISTRIBUCIÓN: **AMÉRICA DEL NORTE**

LONGITUD: **9 METROS**

ALTURA: **3,7 METROS**

PESO: **3 TONELADAS**

OTROS LENTOS

1 EL AVE MÁS LENTA EN MADURAR

Algunas aves dejan el nido bastante pronto, pero esta ave de larga vida (familia Diomedeidae) puede tardar hasta 10 meses en aprender a volar, ¡y hasta 10 años en convertirse en adulto! Compárala con una golondrina, que empieza a volar en torno a los 20 o 25 días de vida. Una cosa está clara: ¡el albatros no tiene ninguna prisa en crecer!

2 EL PRIMATE VENENOSO MÁS LENTO

El loris perezoso gana holgadamente. Ello se debe a que este mamífero nocturno, que utiliza sus grandes ojos para localizar a su presa y buscar comida, es también el único primate venenoso del mundo. Cuando se siente amenazado, el primate arborícola se defiende con una mordedura megadolorosa, a través de la cual inyecta toxinas a su agresor.

3 LA BALLENA MÁS LENTA

A una velocidad media de tres a cinco nudos, la ballena gris es la nadadora más lenta de todas las ballenas. Pero también es una maestra en migraciones, recorriendo en grupo más de 20.000 kilómetros cada año. Las ballenas se mantienen cerca de la costa y nadan de día y de noche, tardando aproximadamente dos meses en completar la travesía.

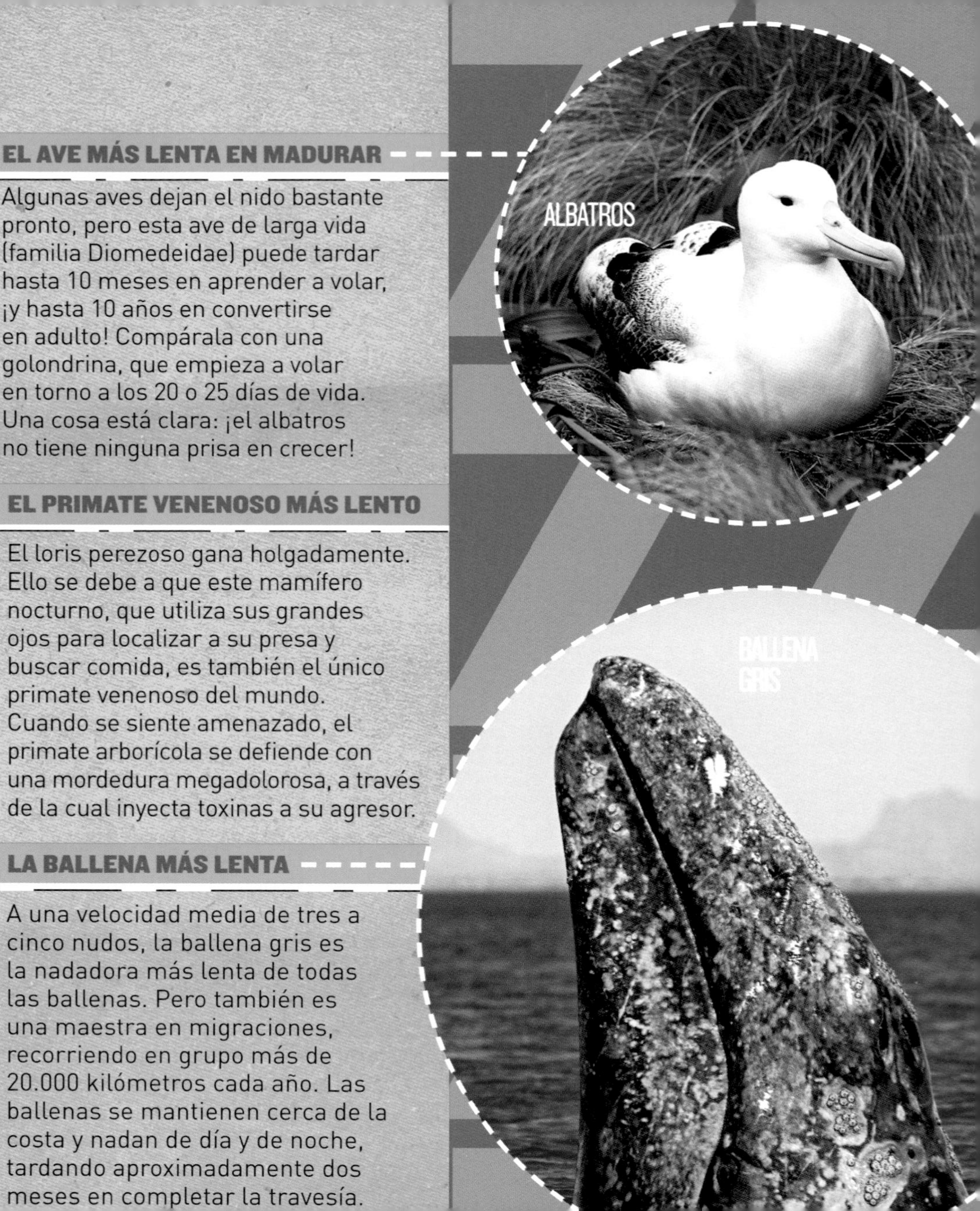

4 LA CONSTRUCTORA DE NIDOS MÁS LENTA

La mayoría de las aves tienen que trabajar duro para construir su nido, pero el águila calva se lleva la palma. Puede tardar dos semanas en construir su nido. ¿Cuál es la razón por la que retrasa tanto la fecha de mudanza? Consulta el capítulo 1 y verás que esta ave construye también el nido más grande del mundo.

5 LA FRECUENCIA CARDÍACA MÁS LENTA

El corazón del tamaño de un coche de la ballena azul late solo seis veces por minuto: es el corazón más lento del reino animal. Los científicos creen que las criaturas con una frecuencia cardíaca más baja viven más tiempo, de modo que ya no nos sorprende que la esperanza de vida de una ballena azul sea de 80 a 90 años.

6 EL TIEMPO DE REACCIÓN MÁS LENTO

No todos los animales tienen reflejos rápidos y movimientos ágiles. Debido a su gran tamaño, el elefante tarda más tiempo en reaccionar a los estímulos. ¿Por qué? Los mensajes viajan de ida y vuelta por el sistema nervioso (hasta y desde el cerebro y por todo el cuerpo) y, cuanto más larga es la distancia que los mensajes tienen que recorrer, más prolongado es el tiempo de reacción del animal. ¡Un elefante es 100 veces más lento que una musaraña!

¿TE DUELE LA CABEZA?

EL CARACOL CONO GEÓGRAFO ES EL **MÁS VENENOSO** DE LAS MÁS DE **500 ESPECIES CONOCIDAS** DEL GÉNERO *CONUS*.

¡PRUEBA UN POCO DE VENENO DE CARACOL!

Una de las especies más lentas del mundo podría contribuir a la creación de un remedio de acción rápida para aliviar el dolor. Los investigadores químicos han creado un fármaco experimental a partir del veneno del caracol cono carnívoro, que vive en las aguas tropicales de los océanos Pacífico e Índico. Estos caracoles utilizan el veneno para paralizar a su presa de forma instantánea. Pues bien, los científicos esperan incluirlo en un comprimido para tratar a las personas que sufren cáncer, diabetes, dolor de origen nervioso y otras enfermedades. Se dice que el fármaco —aún en fase de desarrollo— es 100 veces más potente que algunos de los medicamentos más fuertes disponibles hoy en día. Eso sí, ¡es un potente veneno!

NO EXISTE ANTÍDOTO PARA LA PICADURA DEL CARACOL CONO.

PASATIEMPOS

LENTOS, MÁS LENTOS, LENTÍSIMOS

Ordena a estos animales por orden de velocidad.

GALLINA

LENTOS...

RATÓN

ARDILLA

SOLUCIONES
Ardilla (19 km/h),
gallina (14 km/h),
ratón (13 km/h)

MÁS LENTOS...

SOLUCIÓN
Manatí (8 km/h),
ballena gris (4,8 km/h),
tiburón de Groenlandia (1,6 km/h)

LENTÍSIMOS...

SOLUCIÓN
Araña (1,9 km/h),
perezoso de tres dedos (0,15 km/h),
caracol de jardín (0,05 km/h)

CAPÍTULO 5

¡OH... QUÉ ESCÁNDALO! ¿DE DÓNDE VIENE ESE RUIDO?

Desde los insectos más pequeños hasta los mamíferos más grandes, animales de muy diversos tamaños producen algunos de los sonidos más fuertes del mundo. Ya estén llamando la atención de las hembras o estén ahuyentando a los predadores, no hay duda de que estas ruidosas criaturas tienen algo que decir. ¿Qué estará diciendo este mono aullador?

En este capítulo verás que se mencionan los decibelios (dB). El decibelio es una unidad de medida del sonido. Un susurro tiene en torno a 20 dB; una conversación normal tiene alrededor de 50 dB. Un sonido de 120 dB (como una sirena) puede causar dolor y sonidos de 160 dB (como el de una explosión) pueden provocar la rotura del tímpano en el oído. ¡Ay!

Y EL GANADOR ES...

SOLO EL MACHO DE *MICRONECTA SCHOLTZI* PRODUCE ESTE INTENSO SONIDO.

CHINCHE DE AGUA

¿Puede un insecto acuático sumamente pequeño emitir un sonido tan fuerte que se oiga desde la orilla de un río? Sorprendentemente... ¡sí! Se considera que el diminuto *Micronecta scholtzi* es el animal más ruidoso de la Tierra (en proporción con su tamaño) para el oído humano. Este pequeño prodigio de aguas dulces emite sonidos de una media de 79 decibelios (tan fuertes como el ruido del tráfico de la ciudad), aunque pueden alcanzar los 105 decibelios (como una motosierra). Una cosa es segura y es que estos minúsculos insectos ¡saben cómo hacerse oír!

NOMBRE CIENTÍFICO: **MICRONECTA SCHOLTZI**

CLASE: **INSECTOS**

LONGITUD: **2 MILÍMETROS**

HÁBITAT: **RÍOS Y ESTANQUES**

DISTRIBUCIÓN: **EUROPA**

Y LOS SUBCAMPEONES...

¡Escucha! Estos animales figuran en los primeros puestos de las listas de récords por su naturaleza ruidosa. ¡Averigua de quiénes son todos estos chasquidos, chirridos, aullidos y bramidos!

EL VISITANTE VERANIEGO MÁS RUIDOSO

CIGARRA

Si te gustan los veranos agradables y tranquilos, este es un invitado de cuya compañía no disfrutarás. Resulta difícil verlas, pero algunas cigarras producen un intenso chirrido que puede oírse a una distancia de 1,5 kilómetros. Si estas criaturas se reúnen en enjambres de miles de ejemplares, ¡tendrás que salir corriendo en busca de tapones para los oídos!

EL INSECTO ULTRASÓNICO MÁS RUIDOSO

SALTAMONTES LONGICORNIO

Esta pequeña criatura puede emitir llamadas de alta frecuencia de hasta 110 decibelios, un sonido tal alto como el de una sierra mecánica a corta distancia. Pero dado que gran parte de este sonido es ultrasónico (es decir, de tono demasiado alto para ser percibido por el oído humano), los científicos utilizan un equipo especial para medir semejante escándalo.

EL MONO MÁS RUIDOSO

MONO AULLADOR

Unos dicen que aúlla, otros que brama. Se diga como se diga, el caso es que el mono aullador es el animal terrestre más ruidoso. Sus aullidos son un método de comunicación que no se ha visto reprimido por el ser humano. Si oyes el mensaje de uno de estos monos, no te asustes: ¡puede que el peludo aullador esté a 5 kilómetros de distancia!

EL MAMÍFERO MÁS RUIDOSO

BALLENA AZUL

Con 188 decibelios, el canto de la ballena azul es el sonido más potente del reino animal. Sin embargo, esta criatura en peligro de extinción se comunica con sonidos de una frecuencia tan baja que sus gruñidos, gemidos y resoplidos en gran parte no son percibidos por el oído humano. Pero no hay duda de que las ballenas se escuchan entre sí, hasta a 1.600 kilómetros de distancia.

MÁS SUBCAMPEONES...

He aquí cuatro escandalosos bichos que resuenan a todo volumen en los libros de récords.

EL AVE MÁS RUIDOSA

GUÁCHARO

Si vas a ir a una cueva en América del Sur por la noche, llévate tapones para los oídos. Los chasquidos, chillidos y graznidos de un guácharo pueden alcanzar los 100 decibelios a corta distancia. Suma a esto que los guácharos viven en colonias de miles de ejemplares y, en cuestión de segundos, estarás buscando la salida.

EL MURCIÉLAGO MÁS RUIDOSO

MURCIÉLAGO PESCADOR

Estos pequeños mamíferos se sirven del sistema de ecolocación para localizar peces en ríos, estanques y océanos. Vuelan cerca de la superficie del agua, localizan a su presa mediante la emisión de sonidos de alta frecuencia (ultrasónicos) de hasta 140 decibelios y bajan en picado hasta el agua para atrapar al pez con sus grandes pies con garras.

EL ANFIBIO
MÁS RUIDOSO
COQUÍ COMÚN

En una noche tranquila y silenciosa en Puerto Rico se puede escuchar al coquí macho. Esta rana produce sonidos tan fuertes como el ruido de una taladradora. ¡Toda la noche! Las llamadas características de este alborotador nocturno alcanzan los 100 decibelios, medidos a un metro de distancia. ¡A ver quién se echa un sueñecito con todo ese ruido!

EL CHASQUIDO
MÁS RUIDOSO
GAMBA PISTOLA

Esta astuta gamba produce un chasquido supersónico lo suficientemente fuerte como para aturdir (o incluso matar) a su presa. Cierra su pinza tan rápidamente que un chorro de agua sale disparado a 100 km/h, lo cual produce un sonido de unos 200 decibelios. ¡Hace más ruido que un cohete en pleno despegue!

CASOS CURIOSOS

ANIMALES CHARLATANES

Los científicos que estudian la comunicación animal han descubierto que algunos graznidos, gruñidos y chirridos constituyen, en realidad, un complejo sistema de lenguaje similar al habla del ser humano.

Tras analizar los sonidos emitidos por siete especies animales diferentes, entre ellas herrerillos, jilgueros, murciélagos, orcas y orangutanes, los científicos han descubierto que las repeticiones de sus gorjeos, aullidos y gruñidos reflejan patrones similares a los del habla humana. Y aunque estos animales no intercambien frases entre ellos, los expertos consideran que tal vez tengan un sistema para comunicar lo que les resulta útil.

Algunos animales «hablan» entre sí incluso a distancia. Es el caso de los leones. Desde que amanece hasta que se pone el sol, llaman a los miembros de su manada con rugidos que se dejan oír a kilómetros de distancia en las llanuras. Así el grupo mantiene la conexión cuando sus miembros se separan para cazar o vigilar el territorio.

Y cuando loros y guacamayos buscan alimento en las copas de los árboles, repiten sus graznidos para avisar a aves cercanas, que pueden estar ocultas entre la espesura. Algunas llamadas son señales de advertencia de que hay un predador cerca, mientras que otras son un simple saludo a un ave amiga. ¡Así la próxima vez que oigas a animales armando jaleo sabrás que no se trata solo de un montón de ruido!

SUENA LA ALARMA

Muchos animales emiten potentes llamadas de alarma cuando se acerca un predador. Aquí tienes algunas de las especies que producen sonidos cuando se enfrentan a un peligroso extraño.

URRACA DE LOS MATORRALES

Esta ave azul emite un chillido de tono muy alto cuando divisa un halcón, y un agudo graznido cuando ve un gato.

PERRITO DE LAS PRADERAS

Cuando un predador entra en su territorio, este roedor avisa a los vecinos con un penetrante «*kuii kuii*», similar al ruido de un juguete de goma al apretarlo.

ELEFANTE

El superinteligente paquidermo tiene una amplia variedad de llamadas de aviso, como un sonido de trombón e incluso un «zumbido de abejas», que los científicos piensan que permite saber a los demás miembros de la manada que los molestos insectos están cerca y que conviene dispersarse.

MONO NARIGUDO

Cuando el mono narigudo descubre a un predador al acecho en las cercanías, pone sobre aviso a los demás con una serie de llamadas. Su gran nariz le ayuda a amplificar el sonido de alarma.

EN PRIMER PLANO

ERA UN SONIDO COMO DE...

A veces el oído nos engaña. Estos animales son conocidos por emitir sonidos similares a algo que evidentemente no son. Y dejan a la gente rascándose la cabeza y pensando: *¿He oído bien?*

METRALLETA

MURCIÉLAGO RATONERO RIBEREÑO

Los fuertes chasquidos de este murciélago son tan regulares que suenan como una metralleta, produciéndose en ráfagas de cinco a diez segundos de duración. Afortunadamente, este murciélago se alimenta de insectos; así que, una vez que hayas identificado el origen del ruido, podrás seguir paseando tranquilamente.

GRITO DE MUJER

ZORRO

En el barrio de Calamvale, en Brisbane (Australia), más de una docena de agentes de la policía pasaron horas investigando un aviso de gritos de mujer, para descubrir más tarde que ¡solo se trataba de un zorro! Buscaron entre la maleza e incluso utilizaron tecnología de imagen térmica en la búsqueda del origen del misterioso alarido.

LLANTO DE BEBÉ

LINCE ROJO

Si oyes de noche el llanto de un bebé en el bosque, piénsatelo dos veces antes de correr en su ayuda. Ese llanto puede provenir de un lince rojo, la especie de gato salvaje más abundante y extendida en América del Norte.

PARLOTEO DE GENTE

LORO GRIS AFRICANO

Si estás buscando una mascota que te conteste cuando le hablas, un loro gris africano puede ser una buena apuesta. Esta ave imita las voces humanas y repite palabras e incluso frases cortas, a menudo de forma tan clara ¡que puede llevar a errores de identidad!

SIRENA

SINSONTE NORTEAMERICANO

A las aves cantoras les gusta imitar los sonidos que las rodean. Pero si no hay sonidos naturales alrededor, ¿qué hace un ave de ciudad? El sinsonte puede imitar todo lo que oye: sirenas de ambulancias, instrumentos musicales, ¡incluso el ladrido de un perro!

RISA HUMANA

HIENA

¿Alguna vez te ha parecido algo tan divertido que te has reído como una hiena? Pues bien, resulta que el ruido característico de las hienas no expresa en absoluto diversión. Su inquietante risotada similar a la carcajada humana es en realidad un signo de que el animal se siente contrariado, y posiblemente esté preparado para el ataque.

CASOS CURIOSOS

¡FUERA DE MI TERRITORIO!

Algunas criaturas arman jaleo para que los intrusos no entren en su territorio. Revisa estos chillidos animales que dicen: «¡Esta es mi casa!».

ARDILLA ROJA

Acércate demasiado a los dominios de una ardilla roja y probablemente escucharás fuertes chillidos y gemidos resonando en el aire. Estos penetrantes sonidos de alarma sirven para reconvenir a los animales que se acercan demasiado a las provisiones de nueces, bellotas y otras delicias de este roedor de poblada cola.

PÁJARO CARPINTERO

¡Este pájaro tiene banda propia! Como si fuera el batería del grupo musical del bosque, el pájaro carpintero reivindica su territorio produciendo un sonido de *tap-tap-tap* en los árboles. ¿Que no hay árboles a la vista? No es un problema. El pájaro carpintero sigue con su ritual sea cual sea el entorno en el que se encuentra, lo cual le lleva en ocasiones a taladrar objetos, como postes de la luz o canalones de casas.

COLIMBO

Ulula, gorjea (sonido similar al canto tirolés), silba y cacarea (con una fluctuación de sonidos llamada trémolo): el colimbo tiene mucho que decir. Cuando se trata de defender su territorio, recurre al «canto tirolés», para decir «¡desaparece, chaval!». Los aullidos y los silbidos ayudan a los colimbos a localizarse entre sí y el trémolo significa que están asustados o alborotados.

LLAMA

Las llamas protegen tan bien su territorio que en América del Sur los granjeros las utilizan para vigilar sus tierras. Acércate demasiado al territorio de la llama y te encontrarás con chillidos agudos e incluso ¡una potente patada!

COYOTE

Cuando el coyote enlaza una serie de resonantes ladridos, aullidos y alaridos, lo que realmente está diciendo es el equivalente animal a «¡fuera de mi territorio!». Semejante escándalo no solo es una advertencia a los intrusos, sino que también da a conocer su localización a otros coyotes amigos.

TECOLOTE ORIENTAL

Este búho chilla para defender su territorio. Su estridente canto consiste en un sonido similar a un chillido, que dura hasta dos segundos. También emite un trino reverberante llamado trémolo, que es más largo y permite que los miembros de la familia se mantengan en contacto.

EXTRAÑAS CRIATURAS

LOS PERROS CANTORES SON MUY ÁGILES. ¡PUEDEN SALTAR Y TREPAR COMO LOS GATOS!

¡PERROS CANTORES!

¡Estos perros saben entonar una melodía! Los perros cantores de Nueva Guinea se comunican entre sí mediante un aullido armonioso. Estos cánidos extremadamente raros —muy pocos ejemplares viven en estado salvaje— fueron descubiertos en la selva de la isla de Nueva Guinea, frente a la costa de Australia. Actualmente existen en todo el mundo alrededor de 200 perros cantores, que viven en zoos o como mascotas.

Pero ¿en qué se diferencia la vocalización del perro cantor del aullido de un perro normal? En primer lugar suena más como un canto tirolés, pues los tonos suben y bajan (hay quien dice que es parecido al sonido que emiten las ballenas jorobadas). Y, cuando aúllan juntos, orquestan todo un espectáculo. Si un perro empieza a cantar, los demás se unen a él, coordinando sus aullidos y armonizando, como harían en cierto modo los miembros de una banda de música pop.

NO HAY DOS PERROS QUE **SUENEN IGUAL.** CADA UNO TIENE UNA **VOZ ÚNICA.**

DUELO ENTRE ESPECIES

Averigua qué animal tiene la voz más potente.

¿QUÉ ANIMAL PRODUCE MÁS

ELEFANTE VS. LEÓN

Aunque el rugido de un león es muy potente, solo puede oírse a una distancia de apenas 8 kilómetros. Sin embargo, el estruendo de la pisada de un elefante y los sonidos que emite generan vibraciones que se perciben ¡a 32 kilómetros de distancia!

RANA TORO VS. GRILLO

Los dos hacen un montón de ruido por la noche, pero es más probable que escuches el agudo chirriar del grillo que el grave croar de la rana. No es ninguna tontería, si se tiene en cuenta que las ranas toro se encuentran entre los anfibios más ruidosos del planeta.

COCODRILO vs. HIPOPÓTAMO

GANADOR

Los cocodrilos emiten unos gruñidos increíbles cuando se enfrentan a un predador, pero su enemigo de charca se lleva la palma. Si se siente amenazado o está furioso, ¡el hipopótamo emite un rugido que puede ser tan estruendoso como el sonido de una banda de rock tocando a solo cuatro metros de ti!

EN CIFRAS

¡HAGAMOS RUIDO!

Mira estas equivalencias entre sonidos animales y algunas de las cosas más ruidosas del mundo.

CONCIERTO DE ROCK

115 dB = RUGIDO DE LEÓN

CHILLIDO DE MURCIÉLAGO FRUGÍVORO DE JAMAICA = 110 dB

MOTOSIERRA

METRO

LADRIDO DE PERRO = 100 dB

El decibelio (dB) es la unidad de medida del sonido. Cuanto más potente es un sonido, más elevada es la cifra de decibelios. Por ejemplo, el llanto de un bebé alcanza los 115 dB.

EL DINO SOPLIDO MÁS POTENTE

Los estudiosos de los dinosaurios piensan que la vistosa cresta que lucía *Parasaurolophus* en la cabeza era una especie de instrumento de viento. Durante años los científicos no se pusieron de acuerdo sobre su función: pensaban que podía ser un arma o una estructura para el almacenamiento de aire adicional o quizá incluso un esnórquel. Pero uno de estos científicos (o paleontólogos) creó un modelo de la cresta ósea del dinosaurio y descubrió algo curioso: producía un sonido resonante, grave y profundo, como el de una tuba, que tal vez permitiera a los adultos de *Parasaurolophus* comunicarse a grandes distancias. Los expertos piensan incluso que machos y hembras emitían sonidos diferentes, pues las crestas de los machos eran en general más grandes. Es posible que este poderoso instrumento de viento prehistórico generara ondas sonoras que se transmitían y podían percibirse a varios kilómetros de distancia.

PARASAUROLOPHUS

CUÁNDO VIVIÓ: **CRETÁCICO SUPERIOR (HACE 75 MILLONES DE AÑOS)**

DISTRIBUCIÓN: **AMÉRICA DEL NORTE**

PESO: **3,5 TONELADAS**

LONGITUD: **10 METROS**

ALTURA: **5 METROS**

OTROS RUIDOSOS

1 EL LADRIDO MÁS POTENTE

¿Has pensado alguna vez que tu perro tiene el ladrido más fuerte de su raza? El actual ganador del récord es un golden retriever de Australia que se llama Charlie, con un estrepitoso ladrido de 113,1 decibelios. Batió el récord anterior, establecido en Londres por un pastor alemán cuyo ladrido había alcanzado los 108 decibelios.

2 EL MININO MÁS RUIDOSO

Los leones se comunican con una amplia variedad de sonidos, entre ellos unos atronadores rugidos de 110 decibelios que emiten para demostrar su poderío y defender su territorio. ¡Lindo gatito...!

3 LA PISADA MÁS ESTRUENDOSA

La pisada de un elefante y sus vocalizaciones producen vibraciones del suelo que se notan a más de 30 kilómetros de distancia. ¡Es una forma de localización! Los elefantes emiten distintos tipos de llamadas para comunicarse entre ellos. Un gruñido tal vez signifique «¡Hola, qué tal!»; y un bramido puede significar «¡Ay!» o «Estoy asustado». Un grito significa «¡Socorro!» y, junto con el famoso barrito que emite con la trompa, puede querer decir «¡Atrás!».

GOLDEN RETRIEVER

ELEFANTE AFRICANO

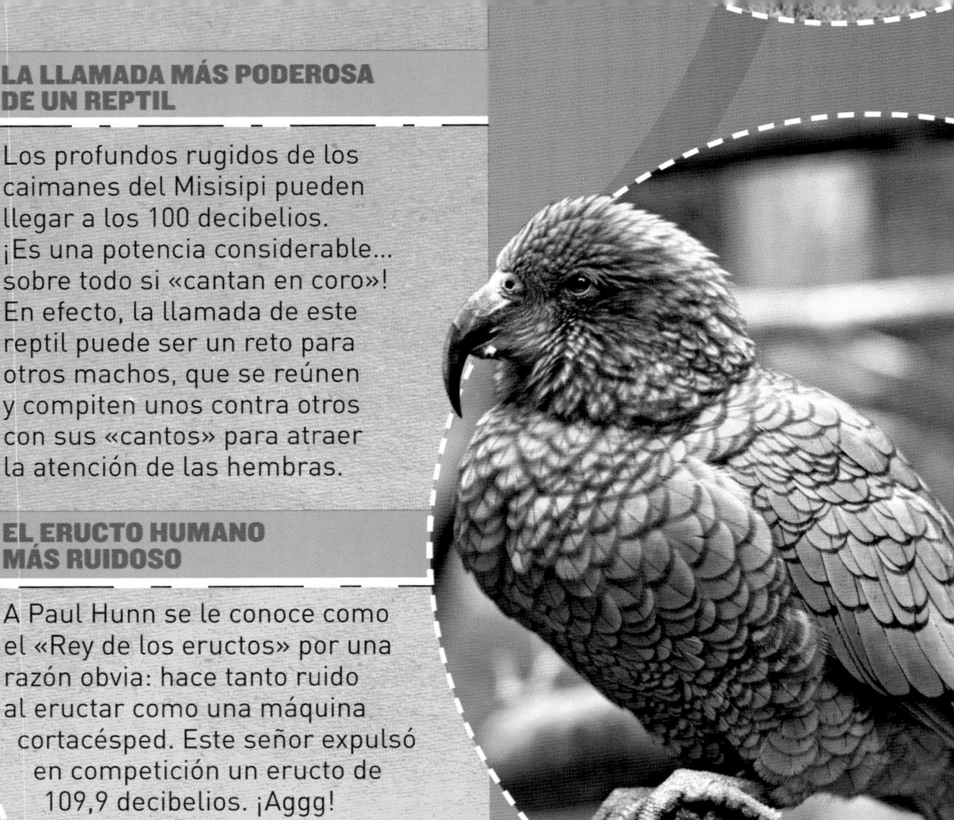

CAIMÁN DEL MISISIPI

4 LA LLAMADA MÁS PODEROSA DE UN REPTIL

Los profundos rugidos de los caimanes del Misisipi pueden llegar a los 100 decibelios. ¡Es una potencia considerable... sobre todo si «cantan en coro»! En efecto, la llamada de este reptil puede ser un reto para otros machos, que se reúnen y compiten unos contra otros con sus «cantos» para atraer la atención de las hembras.

5 EL ERUCTO HUMANO MÁS RUIDOSO

A Paul Hunn se le conoce como el «Rey de los eructos» por una razón obvia: hace tanto ruido al eructar como una máquina cortacésped. Este señor expulsó en competición un eructo de 109,9 decibelios. ¡Aggg!

SER HUMANO

6 EL LORO MÁS CHILLÓN

El loro más grande del mundo es además el único no volador. Para atraer a la hembra, el macho de esta especie nocturna en peligro crítico de extinción emite resonantes llamadas, que pueden oírse hasta a 5 kilómetros de distancia.

SILBIDOS PARA UNA NUEVA MELODÍA

De todos los animales marinos, los delfines son sin duda los más charlatanes: están constantemente comunicándose entre sí mediante silbidos y «clics» (sonidos de ecolocación), que pueden llegar a ser muy potentes. Y ahora los científicos están a punto de descubrir lo que se dicen entre sí en estas ruidosas charlas.

Un equipo de expertos que trabajan con delfines salvajes en el Caribe han enseñado a estos cetáceos una serie de silbidos, asociados a palabras que designan alimentos y juguetes. Después, utilizando un software especial y un ordenador sumergible que establece correspondencias entre las vocalizaciones de los delfines y el idioma inglés, han conseguido traducir los silbidos de los animales, que pueden tener un tono diez veces más alto que el tono de la voz humana. Un día, mientras observaban el estanque, uno de los delfines silbó y la aplicación de ordenador registró «Sargassum», un tipo de alga marina. Era una correspondencia, pero también la primera traducción en tiempo real del silbido de un delfín.

Aunque la aplicación es aún un prototipo, los científicos se encuentran más cerca de comprender el lenguaje natural de los delfines y puede que de comunicarse con ellos en estado salvaje en un futuro no muy lejano.

EL DELFÍN MULAR PUEDE EMITIR 1.000 «CLICS» POR SEGUNDO.

CADA DELFÍN UTILIZA UN PARA IDENTIFICARSE A SÍ MISMO. ¡ALGO ASÍ

PASATIEMPOS

¿CÓMO DICES?

¿Quién hace qué? ¡Une cada sonido con una especie animal!

1 CABRA

2 CABALLO

3 NARVAL

4 CEBRA

A	B	C	D
RUGIDO	RELINCHO	BRAMIDO	BALIDO

SOLUCIÓN: 1: D; 2: B; 3: H; 4: G; 5: E; 6: F; 7: A; 8: C; 9: I

5
PALOMA
6
ASNO
7
MORSA
8
KOALA
9
CANGURO
E
F
G
H
I
RULLO
REBUZNO
ROZNIDO
CHIRRIDO
GRUÑIDO

CAPÍTULO 6

TODOS LOS ANIMALES SON RAROS, CADA UNO A SU MANERA.

Los animales de este capítulo han sido coronados reyes porque tienen un aspecto estrafalario o actúan de modo extraño o bien hacen alarde de estrambóticas características. ¿Cuál es tu bicho raro favorito? Pasa la página y explora el salvaje mundo de la singularidad.

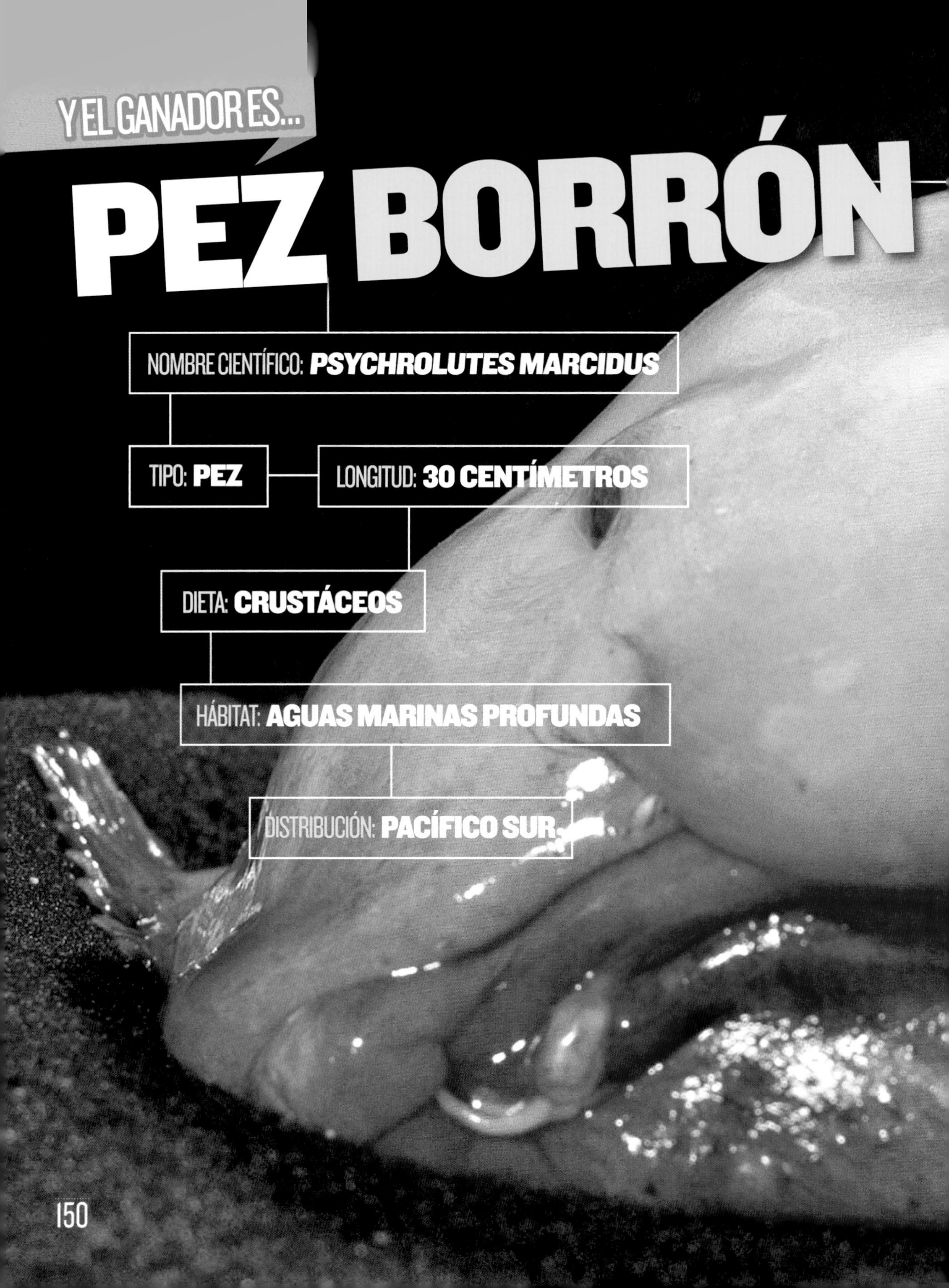

Y EL GANADOR ES...

PEZ BORRÓN

NOMBRE CIENTÍFICO: **PSYCHROLUTES MARCIDUS**

TIPO: **PEZ**

LONGITUD: **30 CENTÍMETROS**

DIETA: **CRUSTÁCEOS**

HÁBITAT: **AGUAS MARINAS PROFUNDAS**

DISTRIBUCIÓN: **PACÍFICO SUR**

la mascota oficial de la Sociedad para la Conservación de Animales Feos. Unos dicen que es horrible, otros que es una maravilla por sus rasgos únicos y hay incluso quien piensa que es absolutamente adorable. Esta masa informe puede encontrarse sobre todo en aguas profundas frente a las costas de Australia, paseándose a profundidades oceánicas comprendidas entre los 600 y los 1.200 metros y alimentándose de langostas y cangrejos.

EL PEZ BORRÓN TIENE HUESOS MUY BLANDOS, LO CUAL LE PERMITE SOPORTAR LA PRESIÓN EXTREMA DE LAS PROFUNDIDADES OCEÁNICAS.

Y LOS SUBCAMPEONES...

Si vas buscando lo más raro dentro de lo raro, no te olvides de estas criaturas. Por su estrambótico aspecto y su insólito comportamiento, se han ganado un puesto en la categoría de «vida salvaje más extraña».

DRAGONES DE MAR

Echemos un vistazo a las algas marinas frente a la costa sur de Australia. ¡Puede que lo que estés mirando sea un pez! Estrechamente emparentados con los caballitos de mar, los dragones de mar tienen un aspecto exterior similar a un alga, lo cual los convierte en auténticos maestros del camuflaje. Y lo que es incluso más raro: son los dragones macho, y no las hembras, los que llevan a cuestas los huevos hasta su eclosión.

PULPO DUMBO

Puede que el pulpo dumbo sea un animal de aspecto desmañado, pero utiliza delicados movimientos de danza para desplazarse de un lugar a otro. Este cefalópodo de grandes aletas debe su nombre a Dumbo, el elefante volador de grandes orejas de Disney. Por desgracia, se sabe poco de esta criatura: vive en aguas oceánicas, a unos 4.000 metros de profundidad, siendo por tanto el pulpo de aguas más profundas de todo el planeta.

RAPE

Si estás buceando en el mar profundo y te parece ver una luciérnaga, no es que hayas perdido la cabeza. Puede ser una hembra de rape tratando de atraer a su presa. Este pez con aspecto de diablo presenta una luz azul verdosa, que luce por un proceso químico llamado bioluminiscencia y que le cuelga por delante de la cara. Esta luz brillante es el señuelo perfecto para una presa curiosa y hace que el resto del cuerpo del pez —incluida su enorme boca y sus afilados dientes— casi desaparezcan en el oscuro océano.

PEZ BRUJA

¿Por qué el pez bruja es conocido también como «anguila moco»? ¡Porque ahuyenta a los predadores con su baba! Cuando un predador piensa que por fin ha hincado el diente a su presa, el pez bruja segrega una sustancia babosa por los diminutos poros que tiene por todo su cuerpo. El atónito atacante suele entonces soltar a su presa y escapar. ¡Un truco que ha permitido al pez bruja medrar desde hace 300 millones de años!

MÁS SUBCAMPEONES...

Ten cuidado con estos extravagantes bichos, no vayas a tropezar ¡al verles la cara!

RATA TOPO DESNUDA

Colonias de ratas topo ciegas y de grandes dientes viven a casi 2 metros bajo tierra, en una estructura social cooperativa, más parecida a un grupo de insectos que de roedores. Docenas y docenas de estas feas criaturas macho sin pelo cavan madrigueras, recogen alimento o atienden solícitos a una hembra dominante: su reina.

OSO MALAYO

A este oso le gusta tanto la miel que tiene una lengua muy larga, perfecta para chupar el dulce manjar. También se le conoce como «oso del sol», porque dice una leyenda que la marca en forma de babero que tiene en el pecho se asemeja al sol naciente. ¡Un nombre gracioso para un animal de hábitos nocturnos!

ARAÑA SOLDADO

A esta insólita araña espinosa le gusta colgarse de arbustos y en los márgenes de los bosques. Las insólitas espinas que presenta en el dorso pueden ser rojas, naranjas o amarillas; algunas arañas soldado tienen incluso las patas de algún color. Lo último que hace mamá araña en su vida es poner muchos huevos, hasta 260, porque después muere... antes incluso de llegar a conocer a su extraña prole.

AVE DEL PARAÍSO SOBERBIA

¡Hablemos ahora de una panda de presumidos! Las aves del paraíso macho realizan una extravagante danza alrededor de las aves hembra para exhibir su vistoso plumaje. Como acompañamiento de la exhibición de su hermoso escudo pectoral, los machos emiten una serie de potentes chillidos, ¡solo para asegurarse de que no pasan desapercibidos!

DESCUBRIMIENTOS SALVAJES

Nunca se sabe con lo que puedes encontrarte en la naturaleza salvaje. Por ejemplo, unos investigadores que estaban estudiando la evolución de los gatos salvajes en la región del Amazonas identificaron una especie nueva de felino: el tigrillo o gato tigre chico. Del tamaño aproximado de un gato doméstico, parece un mini leopardo y vive exclusivamente en los bosques del sur de Brasil. Después de analizar muestras de ADN de gatos de aspecto similar, los investigadores llegaron a la conclusión de que este huidizo animal es una especie distinta, que no forma parte de ninguna otra familia de felinos, tal y como se pensaba

¡OTROS EXTRAÑOS HALLAZGOS!

¿Conoce las especies más raras de ciudad recientemente descubiertas!

Qué:
Rana vampiro

Dónde:
Tailandia

Año de descubrimiento: 2008

Por qué es rara:
Dotada de colmillos y con apetito por los pájaros, esta criatura chupadora de sangre es una de las ranas más temibles.

Qué:
Milpiés *Illacme plenipes*

Dónde:
California, Estados Unidos

Año de descubrimiento:
Redescubierta en 2005

Por qué es raro:
Este milpiés tiene 750 patas y se cree que es la criatura con más patas de la Tierra.

Qué:
Olinguito

Dónde:
Colombia y Ecuador

Año de descubrimiento: 2013

Por qué es raro:
Este mamífero nocturno con cara de osito de peluche es la primera especie nueva de carnívoro descubierta en el hemisferio norte en más de tres décadas.

ANIMALES RAROS EN PELIGRO

Algunas de las criaturas más peculiares de la Tierra corren peligro de desaparecer para siempre. Echa un vistazo a algunas de las poblaciones animales que están disminuyendo en la naturaleza y descubre cuáles son consideradas por los científicos vulnerables o en peligro de extinción.

DUGONGO

SITUACIÓN: VULNERABLE

También llamado «vaca marina», el dugongo vive en las cálidas aguas costeras del Mar Rojo y de los océanos Índico y Pacífico y se encuentra amenazado por la actividad del ser humano. Este pariente del elefante, que sirvió de inspiración para los relatos de los marineros sobre sirenas, hunde su cola en el agua para asomar la cabeza por encima de la superficie.

KIWI MARRÓN DE ISLA NORTE

SITUACIÓN: EN PELIGRO DE EXTINCIÓN

Las alas de esta ave no voladora se encuentran ocultas bajo sus plumas espinosas. Presente solo en Nueva Zelanda, es el ave nacional del país. Corre más deprisa que una persona, ¡aun cuando tiene más o menos el tamaño de una gallina! Esta singular criatura se encuentra en peligro debido a la pérdida de su hábitat y a la introducción de predadores en su hábitat.

RANA PÚRPURA

SITUACIÓN: EN PELIGRO DE EXTINCIÓN

Descubierta en 2003, esta curiosa rana pasa la mayor parte del tiempo a casi 4 metros bajo tierra en su madriguera, saliendo solo unas pocas semanas al año, en época de apareamiento. Su cuerpo es robusto y de aspecto hinchado y usa su nariz sensible al tacto para localizar termitas y después las succiona con la lengua. Una amenaza importante para esta especie es la pérdida de su hábitat, el bosque, que está siendo sustituido por campos de cultivo.

AYE AYE
SITUACIÓN: EN PELIGRO DE EXTINCIÓN

En un principio los científicos pensaron que este bicho raro era un pícaro roedor, pero hoy en día ya saben que se trata de un peculiar primate, el primate nocturno más grande de la Tierra. Los largos dedos del aye aye (especialmente su dedo medio) le ayudan a extraer de las cavidades de los árboles su alimento preferido: las larvas de insectos. No obstante, su población se halla en declive, porque la destrucción de su hábitat supone la existencia de un número cada vez menor de árboles en los que escarbar.

FOCA DE CASCO
SITUACIÓN : VULNERABLE

Bien sea para impresionar a un macho, bien sea para demostrar a enemigos potenciales quién es el jefe, la foca de casco macho infla su cavidad nasal, o «casco», hasta que parece que va a estallar. Estas focas viven en aguas del Ártico y del Atlántico Norte, donde las madres dan a luz a sus crías sobre el hielo. Estos hábitats son cada día más escasos, como consecuencia de lo cual cada día también es menor la población de focas de casco.

AJOLOTE
SITUACIÓN: EN PELIGRO CRÍTICO

Del tamaño aproximado de una taza de té, el ajolote tiene branquias plumosas y cara de personaje de dibujos animados, lo cual lo hace maravillosamente original. Esta salamandra vive en los lagos próximos a Ciudad de México, que es un hábitat en peligro de desaparición por contaminación y desecación. Hoy en día, es un insólito placer encontrarse con este simpático amante del agua de aspecto feliz.

MEZCLAS DE ANIMALES

Estos cruces de animales son mamíferos fascinantes que, o bien son el resultado de progenitores de distintas especies, o bien simplemente son así. ¡A ver si encuentras las diferencias!

SAIGA

Con aspecto de híbrido entre oveja y antílope, el saiga de nariz grande y caída es en su totalidad un antílope. Puede recorrer hasta 116 kilómetros al día en época de migraciones, desde las praderas de verano hasta su hogar en invierno, en la estepa semidesértica.

CEBRASNO

Dentro de la familia del caballo, existen muchas posibilidades de cruces. El cebrasno tiene aspecto de mezcla entre **cebr**a y **asno**. Cualquier cruce entre un équido (como un caballo o un asno) y una cebra se denomina cebroide.

GATO SAVANNAH

Este gato de singular aspecto es mitad gato siamés doméstico y mitad serval, un animal salvaje nativo de las praderas africanas. A este leal y cariñoso minino le gusta jugar a lanzar y traer la pelota y es fiel a su amo.

CIERVO RATÓN

El ciervo ratón es el animal con pezuñas duras más pequeño del mundo y se le conoce por este nombre por su parecido con los ciervos. Pesa 2 kilos y su cuerpo mide 50 centímetros. Su estómago es una versión en miniatura del estómago de un ciervo, lo cual le permite regurgitar el alimento parcialmente digerido.

BALFÍN

¿Que se obtiene si se cruza un macho de orca («**bal**lena asesina», aunque la orca no sea una ballena) con un del**fín** mular hembra: un «balfín». Este animal híbrido es tan raro que el único ejemplar conocido que existe hoy en día vive en cautividad en el parque acuático marino de Hawái.

CAMA

Los científicos querían crear un animal con la fuerza, la paciencia y la resistencia de un dromedario (un tipo de camello) y la preciada lana de una llama. Y en 1998 nació la primera cama, híbrido entre un **ca**mélido del Viejo Mundo (el dromedario) y un camélido del Nuevo Mundo (la lla**ma**). A esta primera cría de cama se le puso el sobrenombre de Rama. Desde entonces han nacido varios ejemplares más.

¡RASGOS ÚNICOS!

Pueden parecer animales raros, pero algunas de sus singulares adaptaciones les ayudan a sobrevivir en su medio salvaje.

MARIPOSA DE CRISTAL

Vive en:
América Central y del Sur

Rasgo único:
Alas translúcidas

Para qué le sirven: Por sus alas translúcidas, estos insectos son una auténtica obra de arte. Pero no solo son hermosos: las peculiares alas de estas mariposas hacen más difícil que las aves depredadoras puedan seguirlas en vuelo.

UN CAMELLO **PUEDE** BEBER 115 LITROS DE AGUA **EN APENAS** 13 MINUTOS.

CAMELLO

Vive en:
Asia central y oriental

Rasgo único:
Anchas almohadillas plantares

Para qué le sirven: Las gruesas almohadillas que tiene el camello en los pies le ayudan a mantenerse erguido en terrenos difíciles. Actúan como raquetas de nieve, impidiendo que este animal de dos jorobas se hunda en las arenas del desierto.

EQUIDNA DE HOCICO LARGO

Vive en:
Nueva Guinea

Rasgo único:
Hocico largo y estrecho

Para qué le sirve: El hocico y la larga lengua pegajosa ayudan a esta criatura cubierta de espinas a sorber alimentos de difícil acceso, como gusanos y hormigas. Además, las células especiales de su hocico son sensibles a los campos eléctricos que generan todos los seres vivos. Los científicos consideran que el equidna es el único mamífero terrestre capaz de buscar alimento de este modo.

LOS EQUIDNAS SON MAMÍFEROS QUE **PONEN HUEVOS.**

Todos son bichos raros, pero ¿cuál es más extraño?

¿CUÁL ES EL MÁS RARO?

GUSANO ZOMBI vs. SERPIENTE DE TENTÁCULOS

GANADOR

SERPIENTE DE TENTÁCULOS

¿Por qué es rara? Es la única especie de serpiente con un par de tentáculos en la parte frontal de la cabeza. Se cree que es capaz de detectar a su presa y de atraer a los peces con estos singulares apéndices.

GUSANO ZOMBI

¿Por qué es más raro? Este gusano vive en los esqueletos de peces y ballenas en descomposición sobre el suelo oceánico y produce un ácido que disuelve aquellos huesos.

MURCIÉLAGO MENOR DE COLA CORTA vs. MURCIÉLAGO «YODA»

MURCIÉLAGO «YODA»

¿Por qué es raro? Este murciélago frugívoro de nariz tubular tiene un asombroso parecido con el Maestro Jedi de grandes orejas de las películas de *La guerra de las galaxias* (*Star Wars*).

MURCIÉLAGO MENOR DE COLA CORTA

¿Por qué es más raro? Es una de las únicas dos especies de murciélagos que caminan por el suelo, utilizando para ello sus alas plegadas como si fueran patas delanteras.

GANADOR

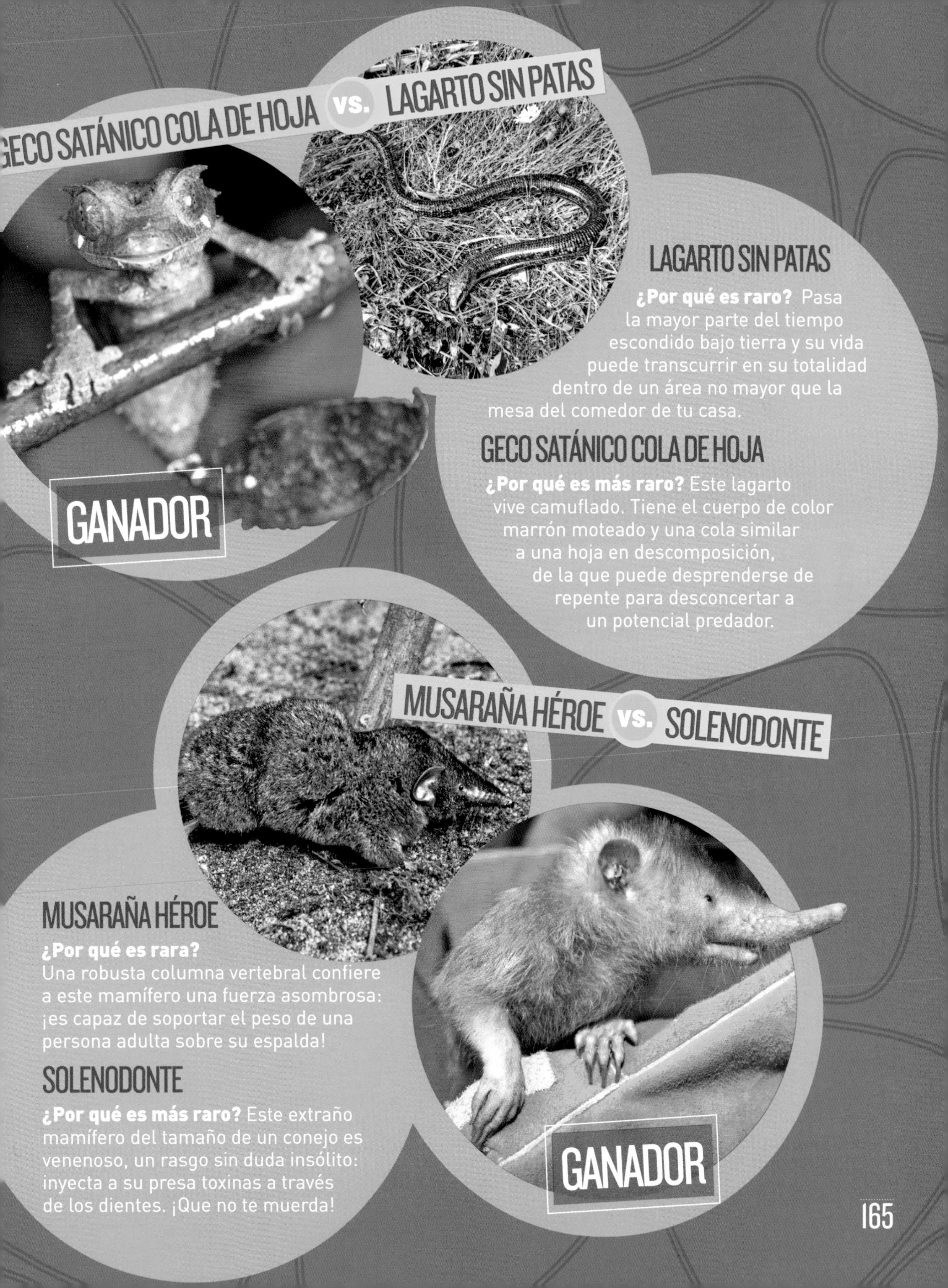

GECO SATÁNICO COLA DE HOJA vs. LAGARTO SIN PATAS

LAGARTO SIN PATAS

¿Por qué es raro? Pasa la mayor parte del tiempo escondido bajo tierra y su vida puede transcurrir en su totalidad dentro de un área no mayor que la mesa del comedor de tu casa.

GECO SATÁNICO COLA DE HOJA

¿Por qué es más raro? Este lagarto vive camuflado. Tiene el cuerpo de color marrón moteado y una cola similar a una hoja en descomposición, de la que puede desprenderse de repente para desconcertar a un potencial predador.

GANADOR

MUSARAÑA HÉROE vs. SOLENODONTE

MUSARAÑA HÉROE

¿Por qué es rara?
Una robusta columna vertebral confiere a este mamífero una fuerza asombrosa: ¡es capaz de soportar el peso de una persona adulta sobre su espalda!

SOLENODONTE

¿Por qué es más raro? Este extraño mamífero del tamaño de un conejo es venenoso, un rasgo sin duda insólito: inyecta a su presa toxinas a través de los dientes. ¡Que no te muerda!

GANADOR

EN CIFRAS

RARO Y SALVAJE

16
milímetros

Tamaño —en diámetro— del globo ocular de un tarsero filipino. Su ojo es mayor que su cerebro y más o menos equivalente al tamaño de una canica.

1,5
metros

Longitud máxima aproximada de cada uno de los gigantescos cuernos con forma de sacacorchos de la cabra salvaje marjor.

1.300
metros

Profundidad a la que es posible encontrar al tiburón duende carroñero nadando por el océano.

5

Número de los brazos principales de una estrella cesta, que se ramifican en múltiples ramitas serpenteantes que atrapan alimento, como el plancton.

2

Número de cabezas de una tortuga encontrada en Sudáfrica, probablemente resultado de una insólita mutación genética.

¿EXISTIÓ PIE GRANDE?

La criatura conocida como Pie Grande (o Bigfoot, en inglés) ¿existió alguna vez? ¡Puede que alguna vez existiera! Piensan los científicos que *Gigantopithecus* pudo ser la criatura real más semejante a la mítica bestia. En Asia (India, China y Vietnam) se han encontrado fósiles de un simio de la talla de un oso polar, que ponen de manifiesto su parentesco con el orangután moderno. Estudios de sus dientes, con cavidades y agujeros, revelan que le gustaba mucho el bambú. ¡Debía de hacer falta una gran cantidad de bambú para satisfacer el apetito de una bestia que pesaba como tres gorilas!

NOMBRE: **GIGANTOPITHECUS**

CUÁNDO VIVIÓ: **DESDE HACE 1 MILLÓN DE AÑOS HASTA HACE 300.000**

DISTRIBUCIÓN: **ASIA**

PESO: **550 KILOS**

ALTURA: **3 METROS**

Ecos de un extraño pasado

Chalicotherium ▲

Con aspecto de cruce entre simio y asno intentando mantenerse erguido, esta magnífica criatura llamada *Chalicotherium* caminaba apoyándose sobre los nudillos de las manos y es posible que alcanzara las copas de los árboles y se alimentara de hojas y ramas. Aunque su cabeza era similar a la de un caballo, tenía garras en los pies en lugar de cascos.

Arthropleura ▲

Esta criatura similar a un ciempiés y de casi 3 m de largo vivía en América del Norte hace alrededor de 300 millones de años, existiendo pocos predadores —o ninguno— que mantuvieran a raya su población. Los científicos no han encontrado aún ningún fósil de la boca de este inquietante artrópodo, de modo que no se sabe si tenía dientes.

Gastornis ▶
Esta extraña bestia tenía unas pequeñas alas inútiles y un pico gigantesco que utilizaba para abrir semillas y frutos. Los fósiles de esta amenazadora ave de 2 metros de altura llevaron a los científicos a pensar, en un principio, que se trataba de un predador peligroso. Pero más tarde llegaron a la conclusión de que probablemente el gigante prefería los vegetales a la caza.

OTROS RAROS

EL «SUDOR DE SANGRE» DEL HIPOPÓTAMO

1 EL CAMUFLAJE MÁS RARO

Si fueras una araña, ¿qué harías para ahuyentar a los demás animales? ¡Disfrazarte de excremento de pájaro! Pues eso es lo que hace la *Celaenia excavata.* Esta «araña caca de ave» es muy hábil ahuyentando a sus predadores, pero también es muy buena cazadora. Se cuelga de las hojas y desprende un olor que atrae a su presa favorita: ¡las polillas!

2 LA ADAPTACIÓN MÁS RARA

¿No sería genial que tu cuerpo produjera su propio protector solar? Si fueras un hipopótamo, podría ser. ¿Alguna pega? Sí: ¡el protector solar parece sangre! El cuerpo del hipopótamo rezuma un líquido que protege de los rayos ultravioleta e incluso ofrece protección frente a algunas bacterias causantes de enfermedades. Por fortuna para los hipopótamos, el sudor se decolora hacia el marrón con la exposición al aire.

3 LA DIETA MÁS RARA

Hemiceratoides hieroglyphica, una polilla de Madagascar tiene una de las dietas más raras: bebe las lágrimas de las aves de la isla cuando están dormidas. Este hábito puede resultar escalofriante, pero las aves parecen no asustarse y ni tan siquiera se despiertan cuando la polilla da sus furtivos sorbos.

ARAÑA CACA DE AVE

POLILLA *HEMICERATOIDES HIEROGLYPHICA*

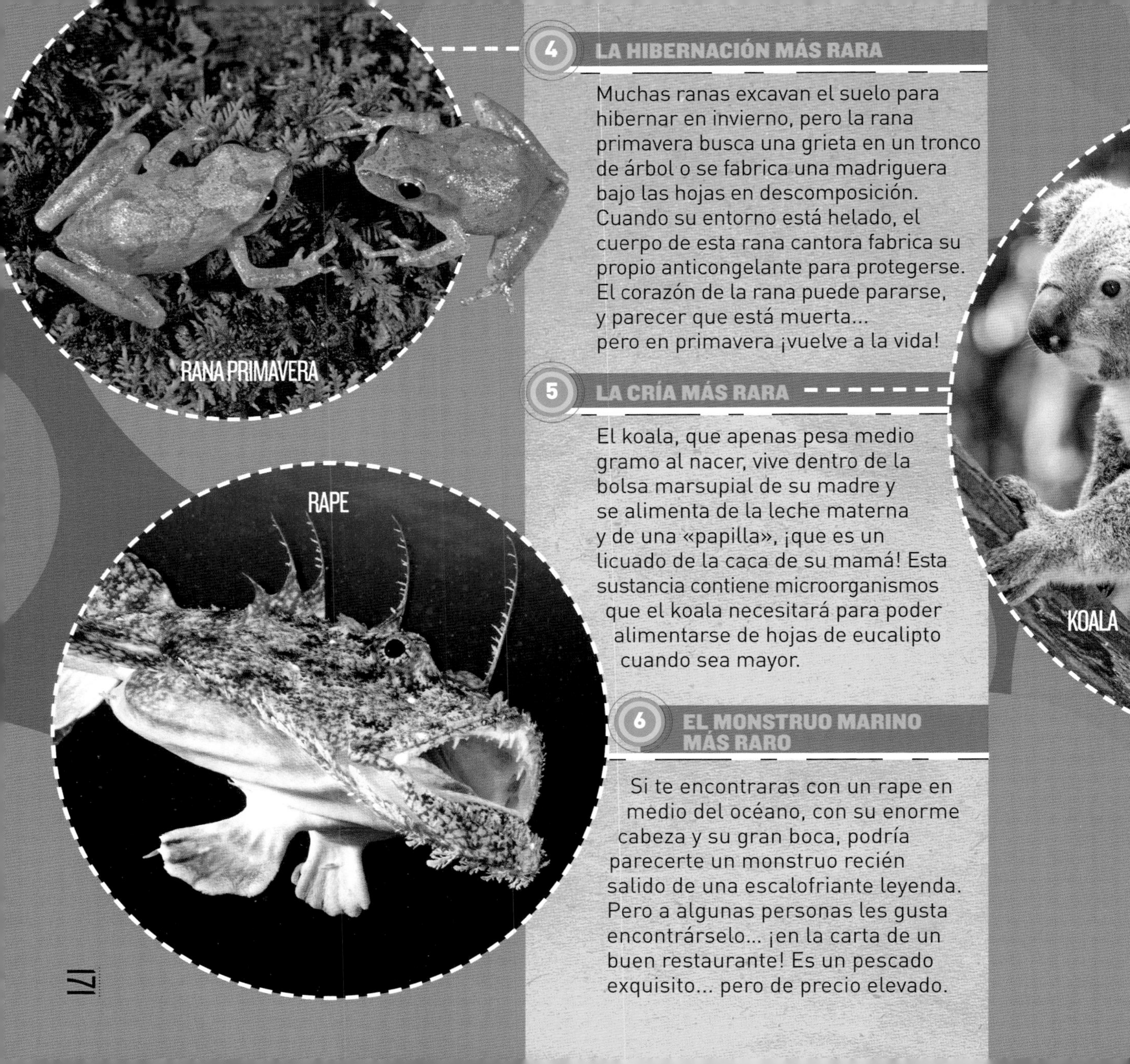

4 LA HIBERNACIÓN MÁS RARA

Muchas ranas excavan el suelo para hibernar en invierno, pero la rana primavera busca una grieta en un tronco de árbol o se fabrica una madriguera bajo las hojas en descomposición. Cuando su entorno está helado, el cuerpo de esta rana cantora fabrica su propio anticongelante para protegerse. El corazón de la rana puede pararse, y parecer que está muerta... pero en primavera ¡vuelve a la vida!

5 LA CRÍA MÁS RARA

El koala, que apenas pesa medio gramo al nacer, vive dentro de la bolsa marsupial de su madre y se alimenta de la leche materna y de una «papilla», ¡que es un licuado de la caca de su mamá! Esta sustancia contiene microorganismos que el koala necesitará para poder alimentarse de hojas de eucalipto cuando sea mayor.

6 EL MONSTRUO MARINO MÁS RARO

Si te encontraras con un rape en medio del océano, con su enorme cabeza y su gran boca, podría parecerte un monstruo recién salido de una escalofriante leyenda. Pero a algunas personas les gusta encontrárselo... ¡en la carta de un buen restaurante! Es un pescado exquisito... pero de precio elevado.

¡EL SECRETO DE LA RATA

LA RATA TOPO DESNUDA NO ES UN TOPO, PERO TAMPOCO UNA RATA. **ESTÁ MÁS EMPARENTADA CON CHINCHILLAS, COBAYAS Y PUERCOESPINES.**

TOPO!

LA RATA TOPO DESNUDA PUEDE VIVIR HASTA 30 AÑOS, SIENDO EL ROEDOR DE MÁS LARGA VIDA.

Puede que a algunos les parezca que la horripilante rata topo desnuda es ya un animal moribundo, ¡pero es una criatura muy sana! ¿Por qué? Los científicos piensan que es inmune al cáncer, tiene fuertes huesos y se mantiene mentalmente en forma durante toda su vida, aspectos insólitos en el reino animal.

De hecho, los investigadores esperan que su capacidad para evitar el cáncer pueda ayudarles a comprender mejor cómo combatir la enfermedad en la población humana... y alargar así su vida. Laboratorios de todo el mundo llevan a cabo estudios sobre este animal ciego y lampiño, que puede vivir hasta 30 años (unas diez veces más que sus parientes topos y ratas), en un intento por descubrir qué es lo que hace que esta criatura sea tan resistente.

Una posibilidad es que una proteína presente en los tejidos de la rata topo impida que las células se multipliquen y formen tumores. A través del estudio de esta proteína y de su funcionamiento en el cuerpo de la rata, los científicos esperan hallar nuevas maneras de prevención del cáncer en el ser humano.

PASATIEMPOS

RARO PERO CIERTO ¡TEST DE ANIMALES!

VERDADERO O FALSO

1. Hay científicos trabajando en la **creación de materiales** a partir de **baba de pez bruja.**

2. Las **arañas saltarinas** tienen **dos ojos** y **escasa visión.**

3. Existe una **nueva y extraña especie acuática** que parece una **medusa con forma de seta.**

4. El picozapato, un **ave de gran tamaño** similar a una cigüeña, debe su nombre a que sus **pies parecen zapatos.**

5. Las **chinchillas toman largos baños** en los ríos para lavar su denso pelo.

PEZ BRUJA

CHINCHILLA

SOLUCIONES: 1. VERDADERO. Un equipo de investigadores espera crear un material respetuoso con el medio ambiente a partir de la baba que el pez bruja segrega como defensa. **2. FALSO.** Las arañas saltarinas tienen en realidad ocho ojos y son hábiles predadores por su buena visión. **3. VERDADERO.** Descubierta frente a las costas de Australia, esta especie tiene aspecto de seta, pero al tacto parece una medusa. **4. FALSO.** Debe su nombre a su pico en forma de zapato. **5. FALSO.** Las chinchillas mantienen su pelo limpio y brillante ¡revolcándose en el polvo y el barro!

CAPÍTULO 7

¡CUIDADO!: LOS ANIMALES DE ESTE CAPÍTULO SON LOS MÁS LETALES DEL PLANETA.

¿Qué significa realmente «los más letales»? En el mundo animal, puede significar ser el predador más venenoso o el más hábil. O puede significar ser todo un campeón defendiendo el territorio a toda costa. No importa el método, pero una cosa es segura: tú querrás estar muy lejos de estas mortíferas criaturas.

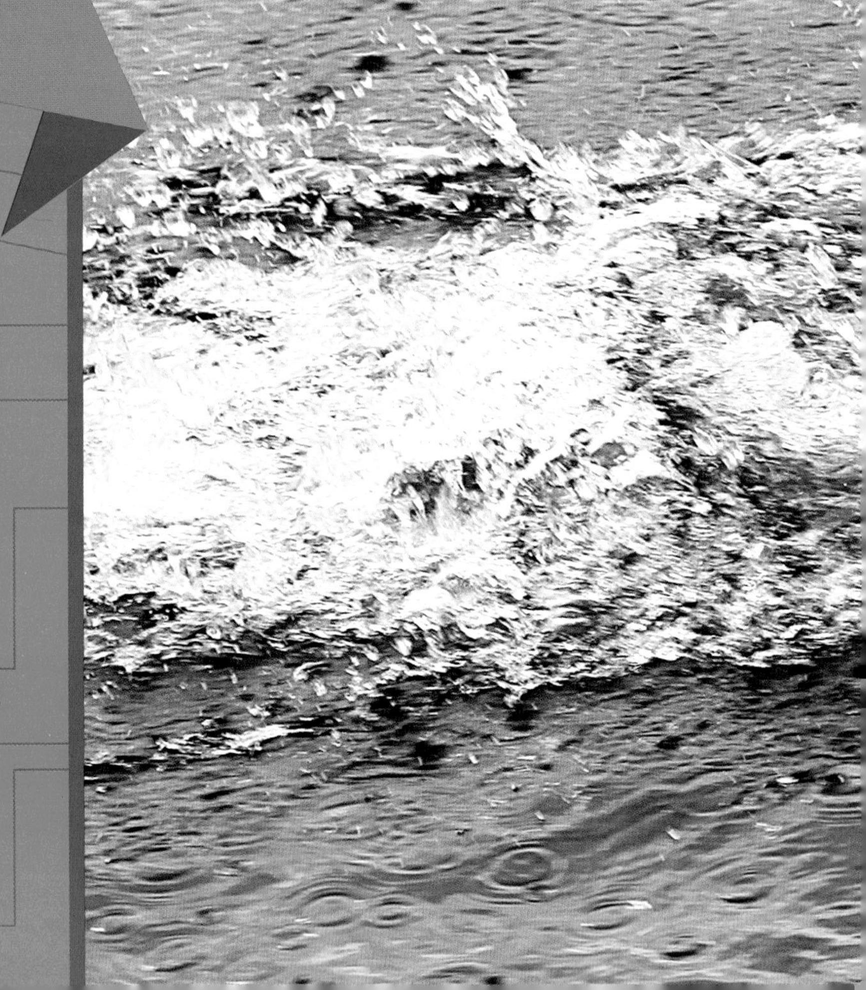

Y EL GANADOR ES...

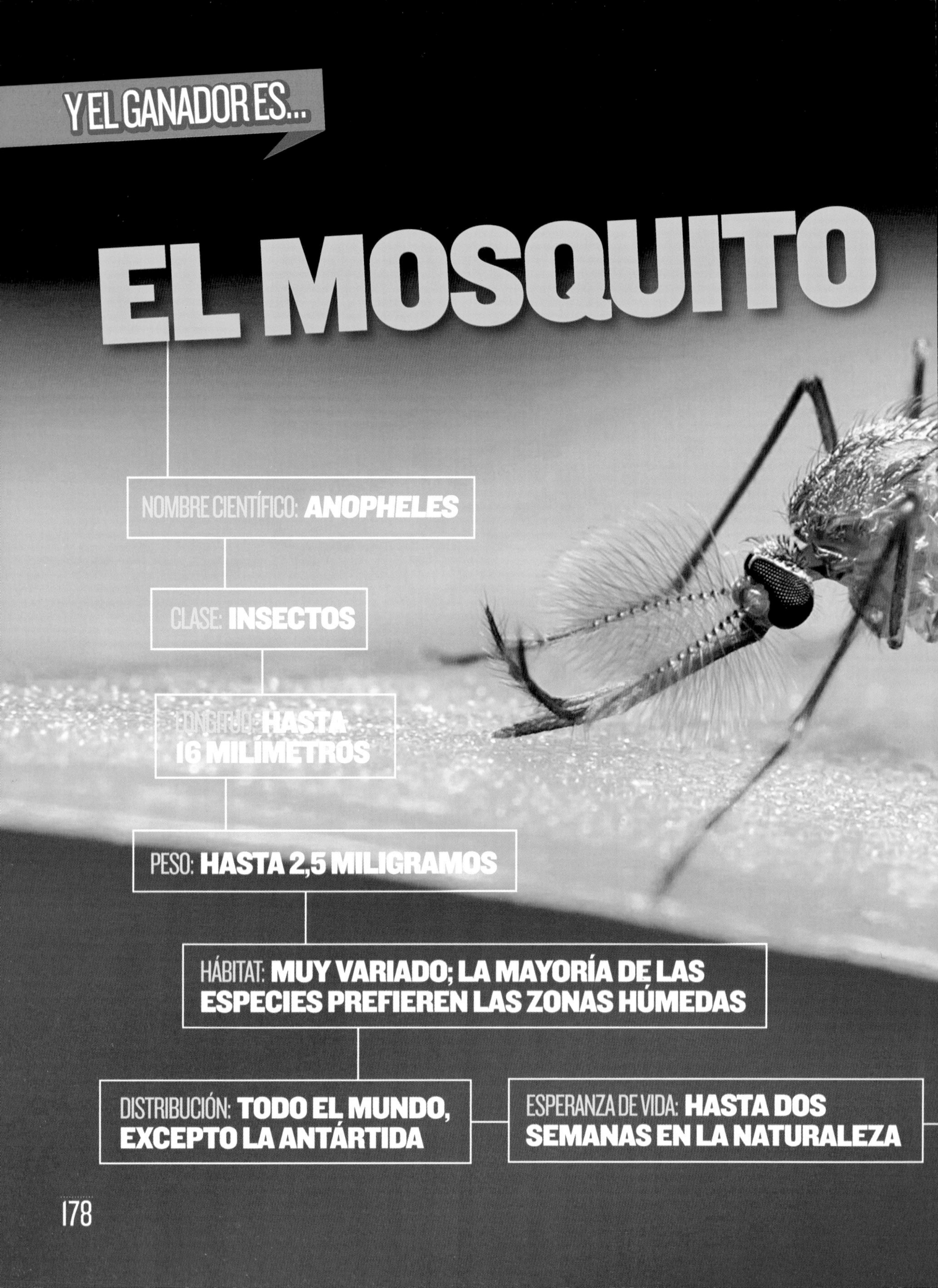

EL MOSQUITO

NOMBRE CIENTÍFICO: **ANOPHELES**

CLASE: **INSECTOS**

LONGITUD: **HASTA 16 MILÍMETROS**

PESO: **HASTA 2,5 MILIGRAMOS**

HÁBITAT: **MUY VARIADO; LA MAYORÍA DE LAS ESPECIES PREFIEREN LAS ZONAS HÚMEDAS**

DISTRIBUCIÓN: **TODO EL MUNDO, EXCEPTO LA ANTÁRTIDA**

ESPERANZA DE VIDA: **HASTA DOS SEMANAS EN LA NATURALEZA**

LOS MOSQUITOS PUEDEN RECORRER HASTA **4 KILÓMETROS AL DÍA.**

En lo que respecta a la criatura más letal del mundo, se tiende a pensar que debería llevarse el trofeo una bestia corpulenta, de feroz aspecto y con grandes dientes, ¿verdad? Pues no es así. La verdad es que el animal que causa cientos de miles de muertes humanas todos los años es más pequeño que un clip y, con su escaso peso y sin enormes garras, puede posarse en tu brazo sin que te des cuenta. ¿Que cómo es posible que sea tan mortífero? A menudo, los discretos mosquitos son portadores de enfermedades mortales que, como la malaria, son transmitidas al ser humano a través de la picadura de estos diminutos insectos. Cuando la malaria invade el organismo, provoca en la persona infectada fiebre, escalofríos y otros síntomas similares a los de la gripe, y puede ser mortal si no se trata debidamente. De las más de 3.000 especies de mosquitos, solo las hembras del género *Anopheles* transmiten la malaria al ser humano; en 2014 se registraron más de 210 millones de casos de malaria, y el 90 por ciento de las muertes por esta enfermedad se produjeron en África. Mosquitos de otras especies son también portadores de enfermedades que pueden ser mortales sin el adecuado tratamiento médico, como la encefalitis, la fiebre amarilla y la enfermedad por el virus del Nilo occidental.

Y LOS SUBCAMPEONES...

Estas son otras criaturas muy letales que compiten por la medalla al mayor predador. Repasemos sus instintos asesinos.

MEDUSA DE CAJA

Esta medusa supermortífera es tan venenosa que sus víctimas más pequeñas quedan aturdidas o mueren al instante. El veneno inyectado afecta al corazón y al sistema nervioso, y las personas que sobreviven a su picadura presentan cicatrices permanentes y un intenso dolor durante semanas después del ataque. Es pues un veneno muy potente, considerando sobre todo que se trata de una criatura que apenas alcanza los 2 kilos de peso.

CHINCHE ASESINA

Acanthaspis petax inyecta a su presa un veneno que la paraliza en cuestión de segundos. Luego disuelve y reblandece los intestinos de la presa y los succiona hasta dejar solo la carcasa vacía. La chinche asesina llega incluso a colocar encima de su cuerpo el cadáver de su víctima para confundir a los predadores.

PEZ PIEDRA

El pez piedra se llama así por su habilidad para camuflarse adoptando la apariencia de una piedra. Esta característica, unida al hecho de que es el pez más venenoso del mundo, lo convierten en la criatura marina más escalofriante. Un pinchazo con una de sus púas puede ser mortal para el ser humano, al pisarlo accidentalmente después de un baño tranquilo.

HIPOPÓTAMO

Estos animales herbívoros no están interesados en la carne animal. Pero cuando una de estas bestias de más de 3.000 kilos de peso carga contra otro animal, entra en la clasificación de animales más mortales de la Tierra. Los hipopótamos defienden ferozmente su territorio y son responsables de más muertes humanas que ningún otro animal de gran tamaño de África.

MÁS SUBCAMPEONES...

Te presentamos aquí a más animales cazadores, mordedores y «picadores» del planeta. Descubre cómo suelen matar.

PIGARGO

Esta águila no tiene visión de rayos X, sino algo mejor aún. Puede posarse en árboles altos y, mirando hacia abajo, ver con enorme claridad a través del agua, de manera que ningún pez próximo a la superficie está a salvo de sus garras cuando las sumerge a gran velocidad para atrapar a su presa. El pigargo es tan buen cazador que dedica apenas diez minutos al día a buscar activamente alimento. Es un animal de «comida rápida».

RANA PUNTA DE FLECHA

¡No digas que la rana no te avisó! Este anfibio es uno de los numerosos animales que luce colores de advertencia: un cuerpo de vivos colores es una señal que ahuyenta a los demás animales. ¿Por qué? Este diminuto terror de la naturaleza segrega por la piel una toxina en cantidad suficiente para matar a diez personas.

TIBURÓN BLANCO

El gran tiburón blanco deja poca escapatoria a sus presas. Cuando este pez de 3 metros de largo muerde a su presa, aplica una presión de más de 500 kilos por centímetro cuadrado de superficie dental. A pesar de la mortal mordedura del tiburón blanco, el número de personas que mueren como consecuencia de un ataque de este animal es bajo, produciéndose al año muchas más muertes de tiburones causadas por el ser humano que muertes de seres humanos causadas por tiburones.

CARACOL CONO GEÓGRAFO

Sufrir una picadura de este habitante del mar equivale casi siempre a muerte segura. Una sola gota de su veneno, altamente tóxico, paraliza a la víctima de forma inmediata y acaba con su vida en minutos, incluido el ser humano. Pero no todo lo que tiene que ver con este habitante de los arrecifes indopacíficos es malo: su veneno está siendo estudiado en farmacología para la síntesis de un potente analgésico.

CASOS CURIOSOS

LETALES SERPIENTES CON GPS INCORPORADO

En ningún sitio se está mejor que en casa, en especial si eres una pitón de Birmania. Se dice que esta mortífera serpiente, que puede asfixiar y engullir a un ciervo o a un caimán enteros, es capaz de encontrar el camino de vuelta a su entorno familiar, aunque haya sido trasladada a kilómetros de distancia.

Para comprobar cómo se orientan las pitones, los científicos capturaron 12 ejemplares y les acoplaron unos dispositivos de seguimiento. Después, la mitad de las serpientes fueron liberadas en el mismo lugar en el que habían sido capturadas y la otra mitad fueron liberadas en lugares situados a más de 30 kilómetros de distancia. Observaron y registraron que las serpientes liberadas a cierta distancia ¡volvieron al lugar donde fueron capturadas! Las pitones mostraron un instinto de localización

—una especie de mapa y de brújula internos— que no había sido documentado antes en ninguna especie de serpiente.

Estos intrépidos reptiles no vuelven a su entorno simplemente porque les gusta su «casa»: los científicos consideran que es posible que vuelvan al lugar donde creen que hay mejor caza. ¡Estas sí que son serpientes inteligentes!

¡SUPERSENTIDOS!

Estos son otros predadores que utilizan sus sentidos para localizar presas:

Olfato: Los tiburones confían en su agudo sentido del olfato para encontrar a su siguiente víctima. Pueden localizar a una presa incluso a 100 metros de distancia.

Gusto: El varano saca su lengua bífida para «probar» el aire y captar las partículas de olor, que envían a su cerebro un mensaje informándole de la cercanía de una presa.

Tacto: El topo de nariz estrellada tiene una nariz con 22 tentáculos (cada uno de ellos con alrededor de 25.000 receptores táctiles) que pueden tocar 12 objetos por segundo. Y esto les permite identificar rápidamente gusanos, insectos y pececillos, y comérselos.

Oído: Un zorro tiene un sentido del oído tan sensible que puede percibir los distintos sonidos subterráneos procedentes de pequeños mamíferos. Cuando localiza a su presa, el zorro excava para capturarla.

Visión: Las aves rapaces tienen un sentido de la vista muy desarrollado. Un ratonero de cola roja puede distinguir un ratón desde una altura de más de 30 metros.

EN PRIMER PLANO

Algunos miembros del reino animal usan métodos espantosos para capturar a sus presas o repeler ataques.

INSTINTO ASESINO

MUERTE POR AHOGAMIENTO

Tras permanecer a la espera como una estatua tanto tiempo como es capaz, el cocodrilo se lanza de repente sobre aves y pequeños mamíferos. Después, arrastra a su incauta presa hasta el agua para ahogarla y desmembrarla. Los cocodrilos capturan también grandes mamíferos y se cree que causan una cifra estimada de 1.000 muertes de seres humanos al año.

MUERTE POR APLASTAMIENTO

Incluso un herbívoro necesita tener algún arma letal «oculta en la manga». En el caso del elefante, es su pisada. Los elefantes matan a cerca de 500 personas al año en todo el mundo. Y por si tener encima una bestia de hasta 6.350 kilos no fuera suficiente, los afilados colmillos del elefante pueden ser también armas mortíferas.

MUERTE POR ZARPAZO

Atención: mantente lejos de un oso polar enfadado. Incluso cuando no está buscando su comida favorita, que es la carne de foca, un oso polar puede partir en dos a un animal de un solo zarpazo. ¿El motivo del ataque? Proteger a sus oseznos. ¡No son de peluche!

MUERTE POR MORDEDURA

La piraña tiene dientes tan afilados como cuchillas. ¡Mal asunto para los incautos peces y para los demás animales que forman parte del menú de estas agresivas jaurías omnívoras! Pero no te preocupes. Los ataques a personas son muy poco frecuentes en el caso de estos habitantes de los ríos de América del Sur.

MUERTE POR CONFUSIÓN

El águila milana puede confundir y desorientar a su presa de muchas maneras. En ocasiones, es muy hábil y logra no ser vista por su presa, volando en la dirección del sol y descendiendo luego en picado sobre ella. Le gusta alimentarse de pequeños mamíferos y de los huevos y crías de otras aves. De este animal cabe esperar lo inesperado.

MUERTE POR ELECTROCUCIÓN

¡Hablemos de un cazador que usa descargas eléctricas! La anguila eléctrica llega a descargar 600 voltios de electricidad a su presa, ya sea pez o anfibio. Esto equivale a más del doble de la potencia de la corriente eléctrica estándar de las casas. Si bien la muerte de personas causada por este animale es muy infrecuente, sus descargas pueden provocar ataques cardíacos y ahogamiento.

SERPIENTES MUY ASTUTAS

No todas las serpientes son letales, aunque estas lo son con toda seguridad. Sigue leyendo y descubrirás de qué modo estas escurridizas serpientes acechan sigilosamente a sus incautas víctimas.

MAMBA NEGRA

Esta serpiente con cabeza en forma de ataúd parece estar gritando «¡soy mortal!». Su potente veneno tiene una acción tan rápida que la inocente presa a menudo no llega a saber de dónde le ha venido el golpe. La serpiente debe su nombre a su boca negra por dentro, pues su cuerpo es gris.

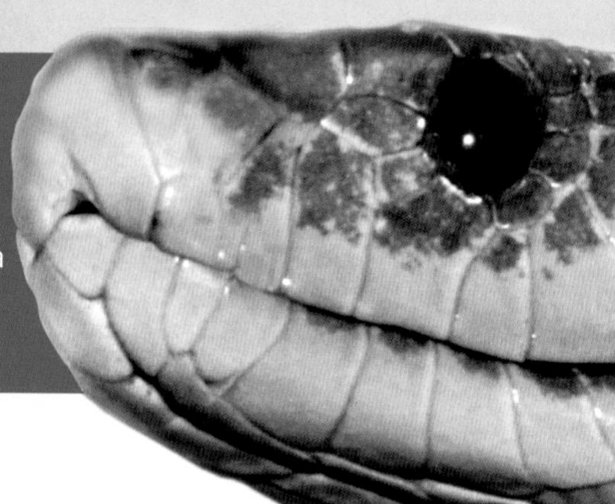

COBRA REAL

La cobra real es la serpiente venenosa de mayor longitud, alcanzando los 5,5 metros. Su potente veneno puede matar a un animal tan grande como un elefante, lo cual es mucho incluso para una serpiente capaz de «erguirse» hasta la altura de una persona adulta.

SERPIENTE MARINA MARRÓN OLIVA

Esta serpiente acuática (aunque tiene respiración pulmonar) se alimenta de peces y de sus huevos, de crustáceos y de moluscos. Su veneno descompone los nervios y los músculos de sus víctimas, facilitando así su digestión.

SERPIENTE DE CASCABEL CORNUDA

Esta serpiente sí que sabe camuflarse. Pasa casi todo el tiempo enterrada parcialmente en la arena, de manera que solo asoma la cabeza para observar a su ingenua presa.

ANACONDA

No todo es muerte por envenenamiento en el mundo de las serpientes. La anaconda atrapa a su presa en un apretado «abrazo», asfixiando a su víctima para después engullirla entera. Con un peso máximo de hasta 250 kilos, la anaconda verde es la serpiente más grande del mundo.

COBRA INDIA

La cobra india prefiere presas como lagartos, ranas y roedores, pero no duda en morder a una persona si se le cruza en el camino cuando se encuentra buscando comida. Junto con otras diversas especies de serpientes venenosas de Asia, la cobra india es responsable de decenas de miles de muertes de seres humanos al año.

PEQUEÑOS PERO MATONES

Algunos de los predadores más pequeños —y más letales— del planeta caben en la palma de una mano (¡pero no quieras probarlo!).

Predador: Gusano de terciopelo
Presa: Grillos, arañas y termitas
Tamaño: Hasta 20 centímetros
Detalles mortales: Este bicho inmoviliza a su presa con la sustancia pegajosa segregada por las glándulas que tiene en la cabeza. Utiliza las mandíbulas para picar a la víctima, entonces le inyecta su saliva digestiva y después ¡succiona sus entrañas licuadas!

Predador: Pulpo de anillos azules
Presa: Cangrejos y moluscos
Tamaño: 13-20 centímetros
Detalles mortales: El pulpo de anillos azules libera en el agua un veneno altamente tóxico o lo inyecta directamente a su presa. El veneno de este cefalópodo causa rápidamente parálisis y conduce a la muerte si la toxina llega al sistema respiratorio o al corazón. ¡Una picadura accidental puede ser mortal para el ser humano en cuestión de minutos!

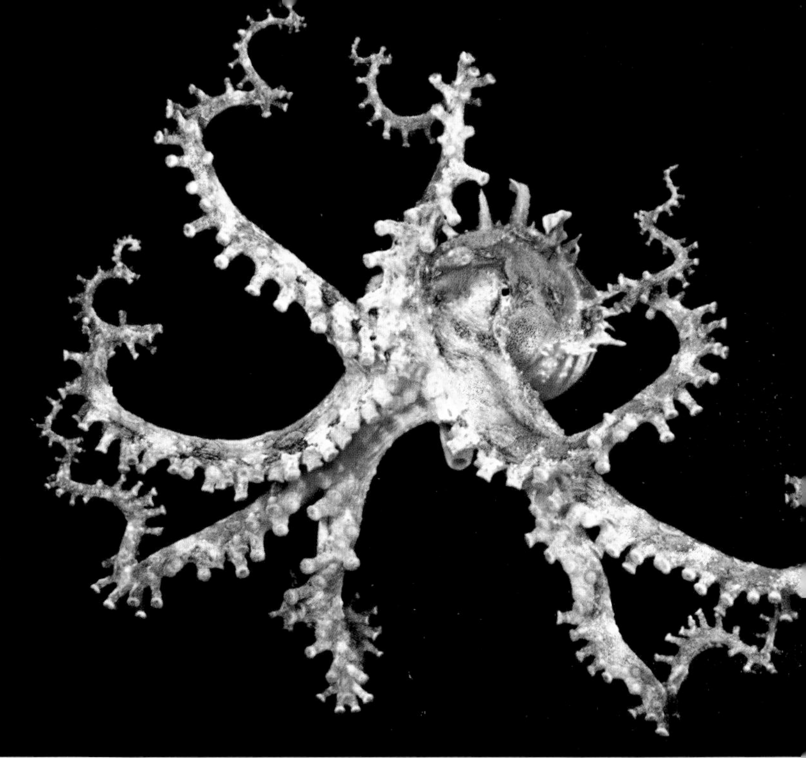

Predador: Avispa esmeralda
Presa: Cucarachas
Tamaño: Hasta 2,3 centímetros
Detalles mortales: Este insecto utiliza su aguijón para inyectar veneno directamente en el cerebro de su víctima. El veneno paraliza a la cucaracha, permitiendo que la avispa ponga un huevo en su abdomen. Cuando el huevo eclosiona, la larva se abre camino por el interior de la cucaracha, devorando sus órganos internos.

CARACHA

Predador: *Malo kingi* (medusa matarreyes común)
Presa: Peces pequeños
Tamaño: Su campana o umbrela mide hasta 3 centímetros de diámetro
Detalles mortales: Esta diminuta medusa cuenta proporcionalmente con una enorme cantidad de veneno: se dice que su picadura es lo suficientemente potente como para matar a una persona, lo cual la convierte en una de las criaturas más venenosas del mundo. La especie debe su nombre a Robert King (*king* es «rey» en inglés), un turista que murió como consecuencia de una picadura de la mortífera medusa mientras nadaba en Australia.

PEZ

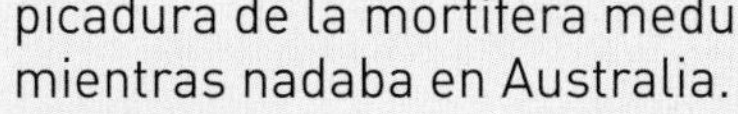

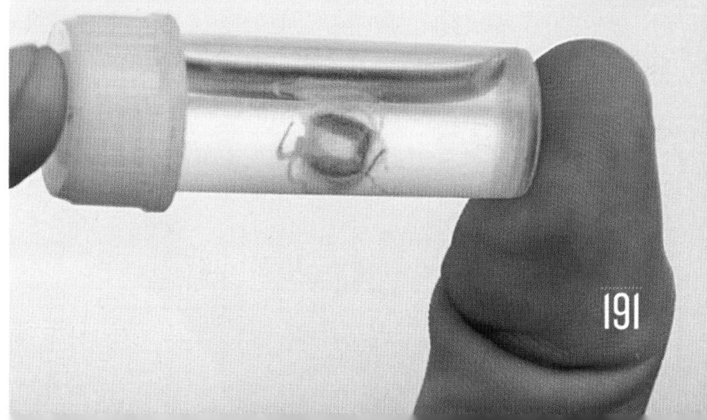

¿Qué animales crees que saldrían victoriosos si se encontraran en la naturaleza?

¡COMBATE FINAL!

GANADOR

ARMIÑO VS. CONEJO

Un armiño de 25 centímetros puede matar a un conejo diez veces más grande que él. Después de identificar a su presa, el armiño ejecuta una especie de baile que distrae al conejo, dando saltitos, arrastrándose y rodando. De este modo va acercándose a su público, tiende una emboscada a su objetivo, se abalanza sobre el conejo y le propina un mortal mordisco en la parte posterior del cuello.

BÚFALO CAFRE VS. LEÓN

Es posible que el león sea el animal más feroz de la sabana; pero, si es sorprendido con la guardia baja, el gran felino puede ser derrotado por el búfalo gigante. Cuando un búfalo cafre intuye el peligro, carga al ataque contra el león y utiliza sus afilados cuernos para lanzarlo por los aires a más de 5 metros de altura.

El jaguar, con unas garras entre las más afiladas del planeta, es fuerte y sigiloso; pero la poderosa anaconda, que puede llegar a tener la longitud de una limusina, puede asfixiar al gran felino mientras captura peces en el agua. La anaconda da un rápido mordisco al jaguar en el cuello, luego enrosca su cuerpo alrededor del gran felino y aprieta hasta asfixiarlo... y convertirlo ¡en un delicioso almuerzo!

Por algo será que se las conoce también como «ballenas asesinas»: las orcas —que en realidad forman parte de la familia de los delfines— aturden a los tiburones golpeándolos a toda velocidad con su voluminoso cuerpo o bien cayendo sobre ellos con toda la fuerza de su cola. En ambos casos, la orca da la vuelta al tiburón y lo retiene del revés, dejándolo así indefenso, hasta que el gran escualo se asfixia.

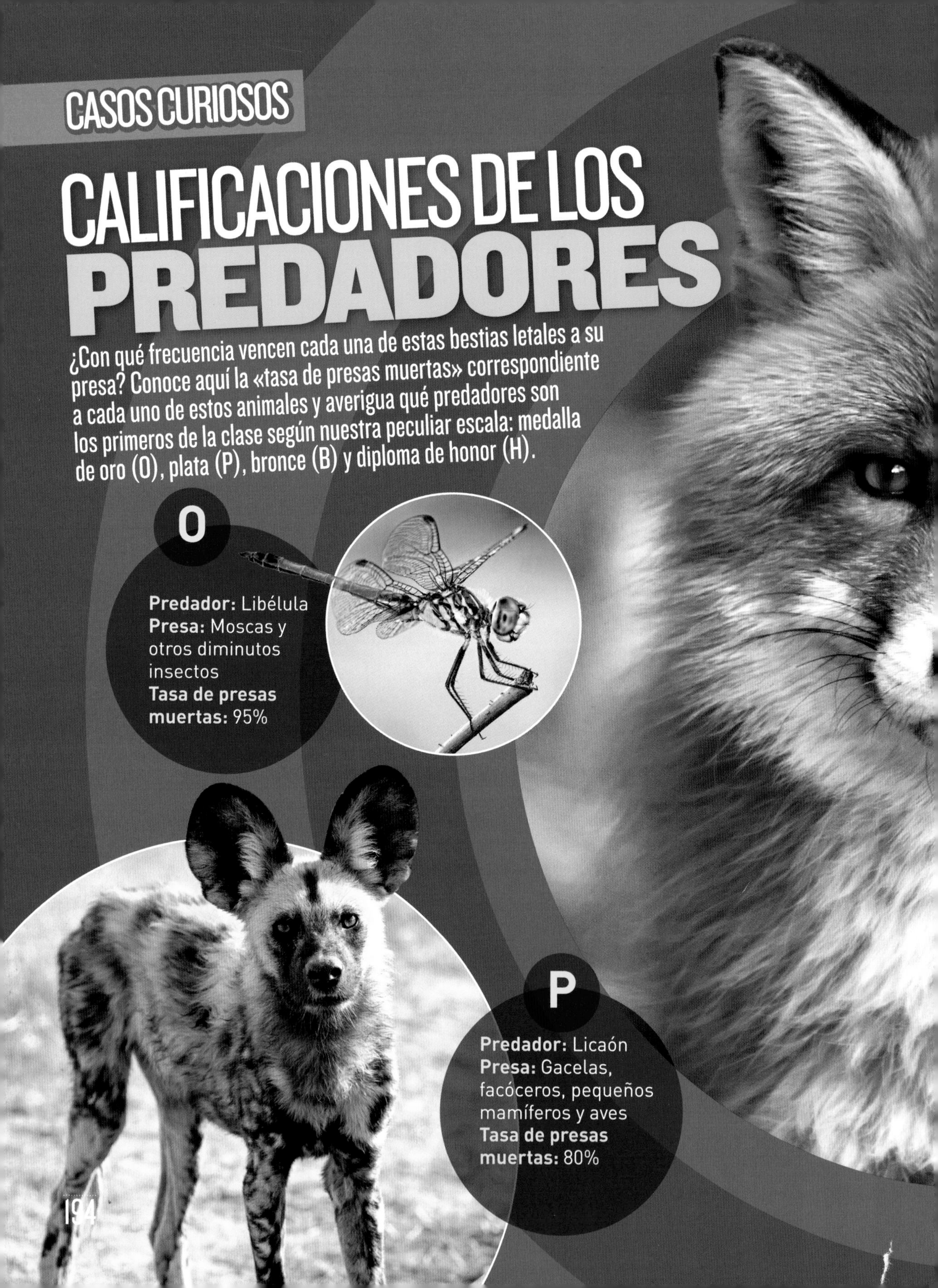

CASOS CURIOSOS

CALIFICACIONES DE LOS PREDADORES

¿Con qué frecuencia vencen cada una de estas bestias letales a su presa? Conoce aquí la «tasa de presas muertas» correspondiente a cada uno de estos animales y averigua qué predadores son los primeros de la clase según nuestra peculiar escala: medalla de oro (O), plata (P), bronce (B) y diploma de honor (H).

O

Predador: Libélula
Presa: Moscas y otros diminutos insectos
Tasa de presas muertas: 95%

P

Predador: Licaón
Presa: Gacelas, facóceros, pequeños mamíferos y aves
Tasa de presas muertas: 80%

B

Predador: Gran tiburón blanco
Presa: Focas, lobos marinos, delfines, rayas y otros peces
Tasa de presas muertas: 50%

H

Predador: León africano
Presa: Ñúes, impalas, cebras, jirafas, búfalos y licaones
Tasa de presas muertas: 25%

H

Predador: Águila real
Presa: Conejos, roedores de tamaño mediano, otras aves y reptiles
Tasa de presas muertas: 20%

P

Predador: Zorro común
Presa: Ardillas, conejos y ratones
Tasa de presas muertas: 70%

H

Predador: Lobo
Presa: Ovejas, cabras, roedores; ciervos y alces
Tasa de presas muertas: 25%

ECOS DEL PASADO

EL DINOSAURIO MÁS MORTÍFERO

TYRANNOSAURUS REX

La bestia que posiblemente supuso una mayor amenaza en la prehistoria fue *T. rex*, cuya mordedura era unas tres veces más fuerte que la de un león. Y no es de extrañar, dado que tenía 60 afilados dientes, cada uno de ellos de 20 centímetros de longitud. ¿Cómo saben los científicos que *T. rex* era un asesino tan temido? La prueba está en los excrementos fosilizados del dinosaurio, que contienen restos de sus desafortunadas víctimas y que demuestran que podía quebrar los huesos de algunas grandes bestias de su tiempo.

CUÁNDO VIVIÓ: **CRETÁCICO SUPERIOR (HASTA HACE 65 MILLONES DE AÑOS)**

DISTRIBUCIÓN: **AMÉRICA DEL NORTE**

PESO: **7.300 KILOS**

TAMAÑO: **12 METROS DE LONGITUD, 6 METROS DE ALTURA**

Menciones de honor a los más letales

T. rex se lleva la medalla de honor al más letal, pero estas otras bestias prehistóricas también eran temibles:

Kronosaurus debe su nombre al dios griego Kronos, que ¡devoró a sus hijos! Esta feroz criatura acuática del Cretácico inferior tenía fuertes mandíbulas y dientes que podían aplastar y hacer pedazos los caparazones de una sola mordida.

KRONOSAURUS

Utahraptor usaba sus enormes garras cuando atacaba a sus presas. Las patadas y los zarpazos eran en parte posibles gracias a que su cola, de gran longitud, equilibraba el peso corporal y le permitía moverse como todo un acróbata.

UTAHRAPTOR

OTROS LETALES

1 EL «PESO LIGERO» MÁS LETAL

Este sigiloso felino es pequeño y solitario, pero ni su tamaño ni su naturaleza silenciosa le impiden matar. Este minino de menos de un metro de largo puede capturar presas del tamaño de un ciervo.

2 LA PICADURA MÁS DOLOROSA

Se trata de la avispa más grande de la Tierra, que pica y paraliza a las enormes arañas tarántula para poder depositar sus huevos sobre ellas. Las personas que han sufrido un ataque de esta avispa han contado que es una de las picaduras de insecto más dolorosas.

3 EL ASESINO MÁS MONO

¡Encantado de verte! Con los ojos más grandes —en proporción al resto del cuerpo— que cualquier otro mamífero, este primate nocturno utiliza la vista para buscar y fijarse en sus presas, que suelen ser insectos. Cuando la presa está a su alcance, este habitante de los bosques se abalanza sobre ella, capturándola con ambas manos. ¡Vaya susto!

LEÓN

ESCORPIÓN ROJO DE LA INDIA

4 EL TRAGÓN MÁS GRANDE

Los leones son carnívoros predadores y pueden consumir más de 25 kilos de carne de una sentada. Devoran animales grandes, como antílopes, ñúes y cebras. Las hembras de la manada suelen cazar en pequeños grupos (¡aunque los machos son los primeros en comer!), saliendo en general por la noche para acechar sigilosamente a sus presas y después saltar sobre ellas.

5 EL ESCORPIÓN MÁS MORTÍFERO

Es uno de los escorpiones más mortíferos del mundo, pero también podría llevarse una medalla al más moderado. De hecho, solo pica como último recurso y prefiere comer pequeños insectos.

6 LA PATADA MÁS MORTAL

A pesar de tener garras afiladas como cuchillas y de ser capaz de propinar una de las patadas más potentes del reino animal, el casuario es básicamente un animal pacífico. Simplemente no debes entrar en el territorio de esta ave de 60 kilos de peso y 1,70 metros de altura que vive en la selva tropical. Si entras, ¡es posible que recibas una patada que no olvidarás jamás!

CASUARIO AUSTRAL

SERPIENTE
DE MANGLAR

MÁS DE
100.000 ANIMALES
PRODUCEN **VENENO.**

¡LO VALIOSO DEL VENENO!

ESCORPIÓN

ABEJA

Tal vez sea el veneno el arma letal más eficaz de la naturaleza, pero los científicos están descubriendo que, en realidad, pueden suponer un estímulo para nuestra salud. Los investigadores están extrayendo toxinas de animales venenosos y estudiándolas con la esperanza de curar a personas con enfermedades como el cáncer o la esclerosis múltiple.

Se han desarrollado ya fármacos derivados de venenos y orientados al tratamiento de la diabetes y de las cardiopatías. Y ahora, estudios de laboratorio muestran que proteínas presentes en el **veneno de abeja, de serpiente y de escorpión** frenan el crecimiento de las células cancerosas o incluso las destruye. Utilizando un medicamento sintético similar a un veneno, los investigadores han sido capaces de frenar el desarrollo de células cancerosas en el laboratorio y esperan que esto traiga consigo algún día una cura para esa mortal enfermedad.

Y el cáncer no es la única enfermedad que puede tratarse con toxinas. Otros estudios indican que una sustancia presente en el veneno de viuda negra podría ayudar a combatir la enfermedad de Alzheimer, mientras que es posible que la toxina de tarántula mejore la actividad de los músculos en la distrofia muscular. A algunas personas la picadura del escorpión les produce cierto alivio de su dolor crónico, lo cual significa que aquello que podría matarte también puede salvarte la vida.

DEFENSAS MORTALES

Une cada animal con su mecanismo de defensa.

B ZARIGÜEYA

1. CHORRO DE VÓMITO APESTOSO	3. DISPARO DE SANGRE POR LOS OJOS	5. INYECTAR VENENO CON LOS DIENTES
2. HACERSE EL MUERTO	4. CUBRIR DE BABA AL ADVERSARIO	6. DISPARAR LÍQUIDO HIRVIENDO DESDE EL ABDOME

A LAGARTO CORNUDO DE TEXAS

C PEZ BRUJA

D MONSTRUO DE GILA

E ESCARABAJO BOMBARDERO

F BUITRE

SOLUCIÓN:
1: F; 2: B; 3: A;
4: C; 5: D; 6: E

ÍNDICE

Los números en negrita indican las ilustraciones.

CRÉDITOS FOTOGRÁFICOS

Abreviaturas: DRMS: Dreamstime; GI: Getty Images; MP: Minden Pictures; NGC: National Geographic Creative; SS: Shutterstock.

Posición de la foto: A = arriba; B = abajo; I = izquierda; D = derecha; C = centro.

Cubierta: (C), ZSSD/MP; (AD), © dieKleinert/Alamy; (BI), Hidekazu Kubo/MP; (BD), Johan Swanepoel/SS. **Lomo:** ZSSD/MP. **Contracubierta**: (AD), Shevs/SS; (CI), © WaterFrame/Alamy; (BI), © Photowitch/DRMS

Páginas iniciales: 1 (C), © Silksatsunrise/DRMS;
2 (C), © Stefan Pircher/DRMS; 4 (I1), © Isselee/DRMS; 4 (I2), Jan Martin Will/SS; 4 (I3), © Woraphon Banchobdi/DRMS; 4 (I4), © Svetlana Foote/Alamy; 4 (I5), suebg1 photography/GI; 4 (I6), © Sekarb/DRMS; 4 (I7), paulrommer/SS; 5 (D1), © roblan/DRMS; 5 (D2), © Glenn Nagel/DRMS; 5 (D3), © Isselee/DRMS; 5 (D4), DnDavis/SS; 5 (D5), © Leerobin/DRMS **Capítulo 1:** 8 (C), © Elena Elisseeva/DRMS; 10 (C), © Science Photo Library/Alamy; 12 (C), © Robert Hardholt/DRMS; 13 (AI), © Pete Oxford/Nature Picture Library; 13 (CD), Ministry of Fisheries via GI; 13 (BI), © Zhitao Li/DRMS; 14 (C), © Photoshot Holdings Ltd/Alamy; 14 (BI), ©Roberto Rinaldi/Nature Picture Library; 15 (CD), © Mark Moffett/MP; 15 (BI), © Rod Williams/Nature Picture Library; 16 (C), © iStock/cezars; 17 (A), Mauricio Handler/NGC; 17 (C), AP Photo/Mark Bussey; 17 (B), NOAA; 18 (A), © Adam Gryko/DRMS; 18 (AD), © Scratchart/DRMS; 18 (C), xpixel/SS; 18 (BI), © Mitsuaki Iwago/MP; 19 (AD), © Chmelars/DRMS; 19 (AI), © Dr.pramod Bansode/DRMS; 19 (CD), © Salazkin Vladimir/DRMS; 19 (BI), © Jean-edouard Rozey/DRMS; 20 (AI), © Paul Banton/DRMS; 20 (C), © Edwin Giesbers/Nature Picture Library; 20 (BI), © Doug Perrine/Nature Picture Library; 21 (AI), AP Photo/Tsunemi Kubodera of the National Science Museum of Japan, HO; 21 (CD), Kenneth Lilly/GI; 21 (B), © Ernie Janes/Nature Picture Library; 22 (C), © Ryu Uchiyama/Nature Production/MP; 23 (C), © Yukihiro Fukuda/Nature Picture Library; 24 (AI), © Valeria Head/DRMS; 24 (AD), © Vladimir Melnik/DRMS; 24 (BI), © Johannes Gerhardus Swanepoe/DRMS; 24 (BD), © Life on white/Alamy; 25 (AI), © Suhentu/DRMS; 25 (AD), © Eugene Bochkarev/DRMS; 25 (CI), © Isselee/DRMS; 25 (CD), © Andy Rouse/Nature Picture Library; 25 (BI), © Bill O\'neill/DRMS; 25 (BD), © Katrina Brown/DRMS; 26-27 (C), © David B. Fleetham/Seapics.com; 26 (A), © Jaysi/DRMS; 26 (CI), © Neil Wigmore/DRMS; 26 (B), © Kalin Nedkov/DRMS; 27 (A), © Andreanita/DRMS; 27 (ACD), © Tom Stack/Alamy; 27 (BCD), © Andy Rouse/Nature Picture Library; 27 (BCD), © Svetlana Foote/Alamy; 27 (BD), © Jolka100/DRMS; 30 (AI), © Orionmystery/DRMS; 30 (AD), © Mikelane45/DRMS; 30 (BI), © Markus Varesvuo/Nature Picture Library; 30 (BD), © Bert Folsom/Alamy; 31 (A), © Don Mammoser/Alamy; 31 (BI), © Friedrich von Horsten/Alamy; 31 (CB), © David Tipling/Nature Picture Library; 31 (BD), © Nick Upton/Nature Picture Library; 32 (C), © WaterFrame/Alamy; 34 (AI), © Bryan and Cherry Alexander/Nature Picture Library; 34 (CD), © Joe Blossom/Alamy; 34 (BI), © Ingo Arndt/Nature Picture Library; 34 (C B), © Bruno D'Amicis/Nature Picture Library; 35 (AI), © Ingo Arndt/Nature Picture Library; 35 (AD), © Bruno D'Amicis/Nature Picture Library; 35 (CI), © Yvette Cardozo/Alamy; 35 (CD), © Yvette Cardozo/Alamy; 35 (BI), © Joe Blossom/Alamy; 35 (BD), © Bryan and Cherry Alexander/Nature Picture Library **Capítulo 2:** 36 (C), Fred Kraus; 38 (C), Science PR/GI; 40 (C), © Kevin Elsby/Alamy; 41 (A), Fred Kraus; 41 (CI), WENN/

Newscom; 41 (CD), Brian Keller; 41 (B), © Tim Graham/Alamy; 42 (C), Hal Beral/Visuals Unlimited Inc; 42 (I), EPA/Darrin Vanselow/Newscom; 43 (B), National News/Zuma Press/MCT/Newscom; 43 (D), Merlin D Tutle/GI; 44 (C), © Richard Austin/REX USA; 45 (A), Howie Williams; 45 (C), Jennifer Plombon; 45 (B), © WENN/Newscom; 46–47 (fondo), Roland Birke/GI; 46 (BI), Steve Gschmeissner/SPL/Getty Image; 46 (AD), Visuals Unlimited, Inc./Robert Pickett/GI; 47 (AD), Ed Reschke/GI; 47 (C), Roland Birke/GI; 47 (BD), Laguna Design/GI; 48 (C), © Maudem/DRMS; 48 (CI), © Wafuefotodesign/DRMS; 48 (BD), © Pablo Hidalgo/DRMS; 49 (AI), © Goncaloferreira/DRMS; 49 (AD), © David Hosking/Alamy; 49 (BD), © Nyker1/DRMS; 50 (C), RB McCormack/Australian Aquatic Biological/www.aabio.com.au; 52 (AI), Scott Camazine/GI; 52 (AD), © Melinda Fawver/DRMS; 52 (BI), © blickwinkel/Alamy; 52 (BD), © doc-stock/Alamy; 53 (AI), © Marvin Dembinsky Photo Associates/Alamy; 53 (AD), © Arco Images GmbH/Alamy; 53 (CI), Michael DeYoung/Design Pics/GI; 53 (CD), Anna Yu/GI; 53 (BI), © Papilio/Alamy; 53 (BD), © Rob Walls/Alamy; 54 (AI), © Martin Valigursky/DRMS; 54 (AD), © Peter Spirer/DRMS; 54 (CI), © Steven J. Kazlowski/Alamy; 54 (CD), © Jose Barcelo/DRMS; 54 (BI), © Jan Pokorn/DRMS; 54 (BD), © Winzworks/DRMS; 54 (C), OTHK/GI; 55 (AI), © Gert Hochmuth/DRMS; 55 (AD), © ARCO/Nature Picture Library; 55 (ACI), © Johnfoto/DRMS; 55 (ACD), © Alex Mustard/Nature Picture Library; 55 (B C I), © Steven Crabbé/DRMS; 55 (BCD), ©Tom Brakefield/Exactostock-1491/SuperStock; 55 (B), Stargazer/SS; 57 (C), Franco Tempesta; 58 (AI), John T. Fowler; 58 (AD), © Lucila De Avila Castilho; 58 (B), © Tom Vezo/Nature Picture Library; 59 (A), © Johannes Gerhardus Swanepoe; 59 (BI), © Pete Oxford/MP; 59 (BD), Nina E Fatouros PhD; 60 (C), © Gustavo Andrade/DRMS; 61 (CD), Dr. Alper Bozkurt; 62 (AI), Tim Fitzharris/MP; 62 (AD), Bates Littlehales/NGC; 62 (BI), Joel Sartore/NG Creative; 62 (BD), Erlend Haarberg/Nature Picture Library; 63 (AI), Tim Laman/NGC; 63 (AD), © Tim Layman/Nature Picture Library; 63 (CI), Mitsuhiko Imamori/MP; 63 (BI), George Grall/NGC; 63 (BD), Michael & Patricia Fogden/MP **Capítulo 3:** 64 (C), © Zuzana Randlova/DRMS; 66 (C), © Arco Images GmbH/Alamy; 68 (C), ZSSD/MP; 69 (A), © Ole Jorgen Liodden/Nature Picture Library; 69 (C), © John Saunders/DRMS; 69 (B), © Mark MacEwen/Nature Picture Library; 70 (C), © Slew11/DRMS; 70 (B), © Ron Niebrugge/Alamy; 71 (I), © Chris & Monique Fallows/Nature Picture Library; 71 (D), © Whitcomberd/DRMS; 72 (C), Chris Johns/NGC; 73 (A), © Miroslav Hlavko/DRMS; 73 (B), © Sekarb/DRMS; 74–75 (fondo), Inaki Relanzon/Nature Picture Library; 74 (C), © David J. Green - animals/Alamy; 74 (AI), © Philip Dalton/Nature Picture Library; 74 (CD), © Avico Ltd/Alamy; 74 (B), © roblan/DRMS; 75 (A), © Mrfiza/DRMS; 75 (C), Nature's Images/GI; 76 (C), © Melvinlee/DRMS; 76 (AD), © john t. fowler/Alamy; 76 (CI), © Premaphotos/Alamy; 76 (BD), © Georgette Douwma/Nature Picture Library; 77 (CI), © Stephen Frink Collection/Alamy; 77 (BD), © Sue Daly/Nature Picture Library; 78 (C), © Konrad Wothe/Nature Picture Library; 80 (AI), J & C Sohns/GI; 80 (AD), EPA/Erik S. Lesser/Newscom; 80 (BI), © Mircea Costina/DRMS; 80 (BD), © Teekaygee/DRMS; 81 (AI), © Chris Turner/DRMS; 81 (AD), paulrommer/SS; 81 (CI), © Matauw/DRMS; 81 (CD), © AfriPics.com/Alamy; 81 (BI), © Elena Titarenco/DRMS; 81 (BD), © Hanne & Jens Eriksen/Nature Picture Library; 82 (AI), © Dave Bredeson/DRMS; 82 (AD), suebg1 photography/GI; 82 (C), © Suzi Eszterhas/MP; 82 (BI), © Grafvision/DRMS; 82 (BD), © Woraphon Banchobdi/DRMS; 83 (AI), © Krystian Maj/ZUMA Press/Newscom; 83 (AC), © Glenn Nagel/DRMS; 83 (CI), © Ferrero-Labat/Auscape/MP; 83 (CD), © Isselee/DRMS; 83 (B), © Isselee/DRMS; 85 (C), Franco Tempesta; 86 (AI), © Vibe Images/Alamy; 86 (AD), © Photoshot Holdings Ltd/Alamy; 86 (B), © imageBROKER/Alamy; 87 (AD), suebg1 photography/GI; 87 (BI), © Ashley Whitworth/DRMS; 87 (BD), Visuals Unlimited, Inc./Ken Catania/GI; 88 (C), Jonathan Wright and Grace Wu; 90 (AI), © Steven Oehlenschlager/DRMS; 90 (AD), © Chris & Monique Fallows/Nature Picture Library; 90 (BI), © Volodymyr Byrdyak/DRMS; 90 (BD), © Linda Bair/DRMS; 91 (AI), © Todd Pusser/Nature Picture Library; 91 (AD), © Janina Kubik/DRMS; 91 (CI), © Photoquest/DRMS; 91 (CD), © Bob Suir/DRMS; 91 (BI), © blickwinkel/Alamy; 91 (BD), © Jackeroo/DRMS **Capítulo 4:** 92 (C), © Jaroslav Moravcik/DRMS; 94 (C), © Staffan Widstrand/Nature Picture Library; 96 (C), © Subsurface/DRMS; 97 (A), © Andras Deak/DRMS; 97 (C), © RGB Ventures/SuperStock/Alamy; 97 (B), © Crispi/DRMS; 98 (A), © Sergio Hayashi/DRMS; 98 (B), Visuals Unlimited, Inc./Steve Maslowski; 99 (A), LehaKoK/SS; 99 (C), © John Cancalosi/Alamy; 100 (C), © Vinesh Kumar/DRMS; 101 (AI), © Aliaksandr Mazurkevich/DRMS; 101 (CI), © Tom Wang/DRMS; 101 (BI), © Doug Perrine/Nature Picture Library; 101 (BD), © Michael Patrick O'Neill/Alamy; 102 (A), © Naluphoto/DRMS; 102 (C), © Anthony Land/DRMS; 102 (B), © Vilainecrevette/DRMS; 102 (fondo), tulpahn/SS; 103 (A), Paul Nicklen/NGC; 103 (C), © Nature Picture Library/Alamy; 103 (B), © Andy Nowack/DRMS; 104–105 (C), © Ksenia Raykova/DRMS; 104 (AD), © Waldemar Dabrowski/DRMS; 104 (CI), © Idamini/Alamy; 104 (BD), © Roughcollie/DRMS; 105 (AI), © Tkatsai/DRMS; 105 (CD), © blickwinkel/Alamy; 106 (C), © Mark Carwardine/Nature Picture Library; 108 (AI), © Andras Deak/DRMS; 108 (AD), Cuson/SS; 108 (BI), © Marek Jelínek/DRMS; 108 (BD), © Colin Moore/DRMS; 109 (AI), Susan Flashman/SS; 109 (AD), © Kjuuurs/DRMS; 109 (BI), © Barbara Magnuson/Larry Kimball; 109 (BD), © Robert Valentic/Nature Picture Library; 110–111 (C), © Bob Suir/DRMS; 110 (AI), jps/SS; 110 (BI), Jan Martin Will/SS; 110 (BD), © Evgenyatamanenko/DRMS; 111 (AI), Jiri Hera/SS; 111 (AD), DnDavis/SS; 111 (B), Melinda Fawver/SS; 113 (C), Franco Tempesta; 114 (AI), © Pete Oxford/Nature Picture Library; 114 (AD), © Mark Carwardine/Nature Picture Library; 114 (B), © Ian Butler/Alamy; 115 (A), john michael evan potter/SS; 115 (BI), Richard Lowthian/SS; 115 (BD), © Patricio Robles Gil/Sierra Madra/MP; 116 (C), Dave Wrobel/GI; 118 (AI), © Elena Elisseeva/DRMS; 118 (AD), © Lukas Blazek/DRMS; 118 (B), © Taophoto/DRMS; 119 (AI), © Sue Flood/Nature Picture Library; 119 (AD), © Greg Amptman/DRMS; 119 (AC), © Nature Picture Library/Alamy; 119 (BI), © Bruce Macqueen/DRMS; 119 (C B), © Mircea Costina/DRMS; 119 (BD), © Vilainecrevette/DRMS **Capítulo 5:** 120 (C), Anton_Ivanov/SS; 122 (C), CB2/ZOB/WENN.com/Newscom; 124 (C), © Steve Byland/DRMS; 125 (A), © Skynetphoto/DRMS; 125 (C), EBFoto/SS; 125 (B), Larry Foster/NGC; 126 (AD), © Tui De Roy/Nature Picture Library; 126 (BI), © Stephen Dalton/MP; 127 (A), IrinaK/SS; 127 (B), © Teguh Tirtaputra/DRMS; 128 (C), GUIDENOP/SS; 129 (AD), Steve Byland/SS; 129 (CI), © Abeselom Zerit/DRMS; 129 (CD), © Drflash/DRMS; 129 (B), © Smellme/DRMS; 130 (A), © Arterra Picture Library/Alamy; 130 (C), © Jaymudaliar/DRMS; 130 (B), © David Burke/DRMS; 131 (A), © Robhainer/DRMS; 131 (C), © Steve Byland/DRMS; 131 (B), Danny Alvarez/SS; 132 (AD), © Antti Siiskonen/DRMS; 132 (CI), © Pavel Boruta/DRMS; 132 (BD), © Gerald Deboer/DRMS; 133 (AI), © Bluesunphoto/DRMS; 133 (AD), © Outdoorsman/DRMS; 133 (C), © Leerobin/DRMS; 134 (C), Michal Ninger/SS; 135 (C), © Auborddulac/DRMS; 136 (AI), john michael evan potter/SS; 136 (AD), Maggy Meyer/SS; 136 (BI), Chris Hill/SS; 136 (BD), encikAn/SS; 137 (A), Filipe Frazao/SS; 137 (B), HJ Weiermans/SS; 138–139 (C), © Steve Allen/DRMS; 138 (AI), © Norbert Buchholz/DRMS; 138 (CI), Ivan Kuzmin/SS; 138 (BCD), AS-kom/SS; 138 (BI), Shevs/SS; 138 (BD), rorem/SS; 139 (AI), © Zhanghaobeibei/DRMS; 139 (AD), zimmytws/SS; 139 (ACD), talseN/SS; 139 (BCD), Tim Roberts Photography/SS; 139 (BI), © Ilja Ma ik/DRMS; 139 (BD), Anton_Ivanov/SS; 141 (C), Franco Tempesta; 142 (AI), © Denis Dore/DRMS; 142 (AI), john michael evan potter/SS; 142 (B), Maggy Meyer/SS; 143 (A), © paul abbitt rml/Alamy; 143 (BI), © William Mahnken/DRMS; 143 (BD), Nomad_Soul/SS; 144, © Alex Mustard/Nature Picture Library; 146 (AI), Dudarev Mikhail/SS; 146 (AD), Horse Crazy/SS; 146 (BI), Paul Nicklen/National Geographic Creative; 146 (BD), PHOTOCREO Michal Bednarek/SS; 147 (AI), © Gallinagomedia/DRMS; 147 (AD), outdoorsman/SS; 147 (C), Mika Heittola/SS; 147 (BI), Julian W/SS; 147 (BD), idiz/SS **Capítulo 6:** 148 (C), © FLPA/Alamy; 150 (C), © Kerryn Parkinson/Caters News/ZUMAPRESS/Newscom; 152 (C), © Peter Scoones/Nature Picture Library; 153 (A), © David Shale/Nature Picture Library; 153 (C), © Norbert Wu/MP; 153 (B), © Mark Conlin/Alamy; 154 (AD), Joel Sartore/NGC; 154 (BI), © Arco Images GmbH/Alamy; 155 (C), © Xunbin Pan/DRMS; 155 (B), Tim Laman/NGC; 156 (C), Tadeu de Oliveira; 157 (A), Dr Jodi Rowley; 157 (C), Paul Marek; 157 (B), Mark Gurney for Smithsonian/GI; 158 (A), © Jurgen Freund/Nature Picture Library; 158 (C), © david tipling/Alamy; 158 (B), Dr K.P. Dinesh; 159 (A), © Lynn M. Stone/Nature Picture Library; 159 (C), © Doug Allan/npl/MP; 159 (B), © Jane Burton/Nature Picture Library; 160 (A), © Dmytro Pylypenko/DRMS; 160 (C), © Jesse Kraft/Alamy; 160 (B), © Madeline Gray/The Palm Beach Post/ZUMAPRESS/Newscom; 161 (A), © Rod Williams/Nature Picture Library; 161 (C), © Lucy Pemoni/Reuters/Corbis; 161 (B), © AP Photo/Kamran Jebreili; 162 (C), © Grant Glendinning/Alamy; 163 (A), © Nurlan Kalchinov/Alamy; 163 (B), Stuart Wilson/GI; 164 (AI), Norio Miyamoto/Naturwissenschaften; 164 (AD), © Daniel Heuclin/Nature Production/MP; 164 (BI), © FLPA/Alamy; 164 (BD), © Piotr Naskrecki/MP; 165 (AI), © Nick Garbutt/Nature Picture Library; 165 (AD), © Eyal Bartov/Alamy; 165 (BI), William Stanley/The Field Museum; 165 (BD), AP Photo/Gregory Guida/Durrell Wildlife Conservation Trust/PA Wire; 166–167 (C), © EPA-PHOTO/EPA/Nic Bothma/Newscom; 166 (A), © Mark MacEwen/Nature Picture Library; 166 (B), © Juniors Bildarchiv GmbH/Alamy; 167 (A), © David Shen/SeaPics.com; 167 (B), © Franco Banfi/Nature Picture Library; 168 (BI), © The Natural History Museum/The Image Works; 168 (BD), Robert Nicholls/Paleo Creations; 169 (A), © Fortean/TopFoto/The Image Works; 169 (B), © Jaime Chirinos/Science Source; 170 (AI), © Greg Harold/Auscape/MP; 170 (AD), Dr. Roland Hilgartner; 170 (B), © Birdiegal717/DRMS; 171 (A), © Hotshotsworldwide/DRMS; 171 (BI), © Barry Mansell/Nature Picture Library; 171 (BD), © WaterFrame/Alamy; 172 (C), Frans Lanting/GI; 174 (A), © blickwinkel/Alamy; 174 (B), © Juniors Bildarchiv GmbH/Alamy; 175 (A), © Tomatito26/DRMS; 175 (B), © Ekaterina Pokrovsky/DRMS **Capítulo 7:** 176 (C), © Peternile/DRMS; 178 (C), © Dykyostudio/DRMS; 180 (C), Auscape/UIG/GI; 181 (A), © age fotostock Spain, S.L./Alamy; 181 (C), © Jxpfeer/DRMS; 181 (B), © Mikhail Blajenov/DRMS; 182 (A), © Photoshot Holdings Ltd/Alamy; 182 (B), © Photowitch/DRMS; 183 (C), © Stefan Pircher/DRMS; 183 (B), © Fred Bavendam/MP; 184 (C), © Barry Mansell/Naature Picture Library; 185 (A), © Richard Carey/DRMS; 185 (ACD), © Design Pics Inc./Alamy; 185 (CD), © Todd Pusser/Nature Picture Library; 185 (BCD), © Rademakerfotografie/DRMS; 185 (BD), bmse/GI; 186 (A), © Johannes Gerhardus Swanepoel/DRMS; 186 (C), Donovan van Staden/SS; 186 (B), © Pär Edlund/DRMS; 187 (A), altrendo travel/GI; 187 (C), © Bblood/DRMS; 187 (B), Mark Newman/GI; 188–189 (C), © blickwinkel/Alamy; 188 (I), © Jabruson/Nature Picture Library; 188 (B), © Jurgen Freund/Nature Picture Library; 189 (A), © Daniel Heuclin/Nature Library; 189 (C), © All Canada Photos/Alamy; 189 (B), insaneDynamix (Darius Vakil)/GI; 190 (A), paulrommer/SS; 190 (C), Eric Isselee/SS; 190 (I), Dr. Morley Read/SS; 190 (D), © Alex Hyde/Nature Picture Library; 191 (AI), aodaodaodaod/SS; 191 (AD), © Jurgen Freund/Nature Picture Library; 191 (CI), © Andrew Mackay/Alamy; 191 (CD), Willyam Bradberry/SS; 191 (BI), skynetphoto/SS; 191 (BD), GondwanaGirl; 192 (AI), © Oriol Alamany/Nature Picture Library; 192 (AD), © 1000words/Dreamstim; 192 (BI), © Jonathan Pledger/DRMS; 192 (BD), © William Cortes/DRMS; 193 (AI), © Ingo Arndt/MP; 193 (AD), © Palko72/DRMS; 193 (BI), Mogens Trolle; 193 (BD), Monika Wieland/SS; 194–195 (C), olga_gl/SS; 194 (A), Bonnie Taylor Barry/SS; 194 (B), Sam DCruz/SS; 195 (AI), Sergey Uryadnikov/SS; 195 (ACD), Maggy Meyer/SS; 195 (CI), © Arco Images GmbH/Alamy; 195 (BD), Erni/SS; 196 (A), © Stocktrek Images, Inc./Alamy; 196 (B), Franco Tempesta; 197 (C), Franco Tempesta; 198 (AI), © Pete Cairns/Nature Picture Library; 198 (AD), © Greg Balfour Evans/Alamy; 198 (B), © Bob Jensen/Alamy; 199 (A), © imageBROKER/Alamy; 199 (BI), © Nico Smit/DRMS; 199 (BD), © ephotocorp/Alamy; 200 (C), Dennis W. Donohue; 201 (I), irin-k/SS; 201 (D), wacpan/SS; 202 (AD), © Rolf Nussbaumer/Nature Picture Library; 202 (BI), © John Cancalosi/Alamy; 202 (BD), © Brandon Cole Marine Photography/Alamy; 203 (AD), © Michael D. Kern/Nature Picture Library; 203 (C), © Frank Hecker/Alamy; 203 (BD), © Luiz Claudio Marigo/Nature Picture Library; 207, © Isselee/DRMS; 208, © Leerobin/DRMS

CRÉDITOS

Desde 1888, la National Geographic Society ha financiado más de 12.000 proyectos de investigación, exploración y conservación en todo el mundo. La Sociedad recibe fondos de National Geographic Partners, LLC, financiada parcialmente mediante este libro. Parte de los ingresos procedentes de la venta de esta obra contribuyen a ese trabajo esencial. Para obtener más información al respecto, visite: natgeo.com/info<http://natgeo.com/info>.

REALIZACIÓN DE ESTE LIBRO

Becky Baines, *Editor Sénior*
Jen Agresta, *Editor de proyectos*
Jim Hiscott, Jr., *Director artístico*
Nicole Lazarus, *Diseño*
Jay Sumner, *Editor de fotografía*
Paige Towler, *Adjunto Editorial*
Sarah Wassner Flynn, *Redactora*
Kathy Furgang, *Redactora*
Jen Agresta, *Redactora*
Sanjida Rashid y Rachel Kenny, *Design Production Assistants*
Colm McKeveny, *Derechos de autor*
Grace Hill, *Gestión Editorial*
Michael O'Connor, *Editor de Producción*
Lewis R. Bassford, *Jefe de Producción*
Bobby Barr, *Director general, Servicios de Producción*
Susan Borke, *Asuntos Legales y Comerciales*

EQUIPO SÉNIOR DE DIRECCIÓN, PUBLICACIONES INFANTILES Y MEDIOS DIGITALES

Nancy Laties Feresten, *Vicepresidenta Sénior*
Jennifer Emmett, *Vicepresidenta, Directora Editorial, Libros infantiles*
Julie Vosburgh Agnone, *Vicepresidenta, Operaciones Editoriales*
Rachel Buchholz, *Editora y Vicepresidenta, revista* National Geographic Kids
Michelle Sullivan, *Vicepresidenta, Kids Digital*
Eva Absher-Schantz, *Directora de Diseño*
Jay Sumner, *Director de Fotografía*
Hannah August, *Directora de Márketing*
R. Gary Colbert, *Director de Producción*

DIGITAL

Anne McCormack, *Directora*
Laura Goertzel, Sara Zeglin, *Productores*
Jed Winer, *Adjunto a Proyectos Especiales*
Emma Rigney, *Productora Creativa*
Bianca Bowman, *Adjunto a Producción*
Natalie Jones, *Directora de Producto Sénior*

Para más información, visítenos en: www.nationalgeographic.com.es.

Título original: *Animal Records*

Autoras: Kathy Furgang y Sarah Wassner

Esta edición ha sido publicada por: RBA Libros, S.A., 2018

Avda. Diagonal, 189 - 08018 Barcelona.
rbalibros.com

Realización: Editec

Edición y revisión científica: M. Dolores Almazán

Primera edición: noviembre de 2018

REF.: NGLI775

ISBN: 978-84-8298-716-3

DEPÓSITO LEGAL: B. 17.320-2018